Mark Lilla

PHILOSOPHIE PAR GROS TEMPS

COLLECTION « CRITIQUE »

VINCENT DESCOMBES

PHILOSOPHIE
PAR GROS TEMPS

LES ÉDITIONS DE MINUIT

© 1989 by Les Éditions de Minuit
7, rue Bernard-Palissy, 75006 Paris

ISBN 2-7073-1291-6

Avant-propos

Charles Baudelaire, parlant contre les idées du jour sur la poésie, écrit ceci : « Car le vent du siècle est à la folie ; le baromètre de la raison moderne marque tempête » (*Théophile Gautier*). Ce jugement, dira-t-on, prend un peu trop le contre-pied du bulletin météorologique qu'on pourrait lire sous une plume progressiste : le vent du siècle est aux Lumières, le baromètre de la raison moderne marque « beau fixe » pour les mille ans à venir.

Au moins Baudelaire possède-t-il son baromètre de poète, puisqu'il en juge ici d'après les erreurs, pour lui modernes, d'attribuer la poésie au cœur, à la passion, au sentiment (et non à l'imagination, comme on le devrait). Mais qu'en est-il lorsque ce sont des philosophes qui émettent des pronostics sur la direction dans laquelle souffle l'esprit du temps et sur l'imminence de la tempête ?

Mon intention dans cet essai n'est pas de me risquer à mon tour à relever les signes du temps. Elle est d'interroger les philosophes de l'actualité sur leurs moyens conceptuels. Où ont-ils trouvé le baromètre dont ils usent pour nous parler de la « raison moderne » et de l'« esprit du temps » ?

Il m'a semblé qu'on pouvait opposer deux projets intellectuels. Le premier me paraît avoir abouti partout à une impasse, et pour de bonnes raisons : c'est le projet d'une métaphysique de l'actualité ou d'une pensée épochale. Le second possède, je crois, des bases philosophiques plus solides et une signification plus claire : c'est le projet d'une anthropologie de la modernité.

1. LE PHILOSOPHE A LA PAGE

Hegel a écrit cet aphorisme : « La lecture du journal du matin est une sorte de prière matinale réaliste[1]. » Ce mot est souvent cité pour illustrer la conversion des intérêts à l'âge moderne. Le regard se tourne de l'au-delà invisible vers l'actualité quotidienne. Nul être sensé n'affronterait, aujourd'hui comme hier, les affaires du jour sans s'être convenablement préparé par un exercice spirituel. Pour qu'une journée commence bien, il importe de consacrer quelque temps à tourner sa pensée attentive vers ce qu'il y a de plus décisif. Pour toute oraison, l'homme moderne lit la presse du matin. Ce réaliste juge que les *nouvelles* sont le premier objet digne d'occuper sa pensée au moment où elle se réveille.

L'aphorisme de Hegel suggère que l'appétit des grands consommateurs de journaux témoigne d'une attitude spirituelle. Chaque matin, l'homme d'affaires, le député, le haut fonctionnaire, et plus que tous l'éditorialiste doivent se régler pour la journée, s'orienter en fonction de ce qui est. Ainsi, l'homme d'action énergique, conquérant, avide d'informations, versé dans l'appréciation des réalités, cet entrepreneur n'est pas aussi différent qu'on l'aurait cru de l'homme méditant, du clerc, du contemplatif occupé à des lectures inactuelles. Ils ont en commun de commencer la journée par un exercice de méditation. Si l'exercice est « idéaliste », on l'appelle oraison matinale. S'il est « réaliste », on l'appelle lecture du journal. Il s'agit toujours de se disposer à vivre les heures qui viennent dans l'humeur

---

1. *Aphorismes de l'époque d'Iéna*, n° 31 (publiés par Hoffmeister, *Dokumente zu Hegels Entwicklung*, Stuttgart, 1936, p. 360).

requise par ce qui décide finalement de tout, que ce soit la Providence ou l'Evénement.

La lecture du journal qui est comme un exercice spirituel ne doit pas être confondue avec celle qui est une distraction. Cette dernière est une façon d'être toujours au courant, de s'intéresser à ce qui se passe, mais à distance, pour un instant seulement, sans autre conséquence qu'un accès momentané de sentiments humains, selon les cas la sympathie ou l'indignation. C'est ainsi que Mme Verdurin dit « Quelle horreur ! » à la nouvelle du naufrage du *Lusitania*. Mais, nous dit Proust, elle n'en trempe pas moins dans son café au lait le croissant alors si rare, dont la saveur l'emporte si bien sur la désolation de l'actualité que « l'air qui surnageait sur sa figure était plutôt celui d'une douce satisfaction »[2].

L'homme qui pratique la prière réaliste est un individu moderne en ceci qu'il ne se tient pas tout bonnement au milieu des choses telles qu'il les trouve autour de lui, mais qu'il les a d'abord disposées devant lui dans sa pensée sous la rubrique de l'*actualité*. Le journal a l'ambition de rapporter tout ce qui s'est passé de notable entre hier et aujourd'hui. Il figure assez bien la pensée qu'il y a à tout instant un certain état du monde, et que cet état du monde consiste dans l'état du monde d'hier modifié par divers faits et gestes survenus entre-temps. Qu'il soit sérieux ou frivole, le lecteur du journal identifie l'actualité à ces faits qui retiennent l'attention du public. Mais, pour être ainsi passée en revue, l'actualité du jour doit être d'abord tenue à distance. Le bruit du monde se présente d'abord comme texte. Pour lire ce texte à loisir, il faut être provisoirement à l'abri. Tout lecteur, même le plus résolument réaliste, est alors en danger de se retrouver dans la position d'une rombière comme Mme Verdurin. Car le temps de lire le journal est par définition soustrait au remue-ménage universel. Il faut que pour un instant les clameurs se taisent, les solliciteurs s'abstiennent de requérir, les urgences soient suspendues, le mouvement d'ensemble se fige. Tout cela dont il est question dans le journal en dérangerait la lecture s'il se produisait un peu trop près. Prendre connaissance des nouvelles suppose paradoxalement qu'il ne se passe rien de trop neuf à proximité. L'attention ne

---

2. *Le Temps retrouvé* (*A la recherche du temps perdu*, Bibliothèque de la Pléiade, éd. de P. Clarac et A. Ferré, 1954, III, p. 773).

peut pas se porter sur les nouvelles à la façon qui est celle d'une lecture quotidienne si nous sommes nous-mêmes partie prenante de ce qui fait événement et qui sera demain rapporté partout ailleurs. C'est pourquoi le tableau de Mme Verdurin tenant son *Figaro* d'une seule main, parce que l'autre main doit rester libre pour les trempettes, est l'indispensable complément dont on doit corriger l'aphorisme hégélien. Pour l'individu moderne tel que le philosophe l'exalte, la lecture du journal est un préparatif à la tâche du jour et de tous les jours. Le réaliste est un réaliste parce qu'il est soucieux de se montrer à la hauteur de sa vocation, la réalisation de soi dans le monde, c'est-à-dire là où se joue tout ce qui peut jamais être pris au sérieux. Mais, pour d'autres lecteurs tout aussi modernes, cette lecture du journal est plutôt un « régal matinal », un excitant dont la fonction est de nous rendre au réveil l'appétit de vivre par une évocation de « toute la misère du globe », de « tous les malheurs et les cataclysmes de l'univers (...) transmués pour notre usage personnel à nous qui n'y sommes pas intéressés »[3]. Après tout, lire le journal est un moyen confortable de prêter son attention aux *grands faits divers*. Aussi cette pratique, fût-elle aussi résolue que le veut Hegel, est-elle toujours menacée d'apparaître frivole et de mauvaise foi. Les conditions mêmes de l'acte de lecture sont telles que celui qui prend le temps de lire le journal montre par là qu'il se juge momentanément en sécurité. Cette tranquillité du lecteur n'est jamais aussi frappante que dans le cas où la feuille qu'il a sous les yeux lui annonce son propre désastre. On peut voir dans de vieilles bandes d'actualité de l'immédiat avant-guerre des gens qui lisent anxieusement le journal fraîchement imprimé. Sur les trottoirs bien éclairés de villes d'Europe encore intactes, alors que le décor annonce les aménités d'une civilisation bien réglée, toute chose paraît trop normale et irréelle à nous qui savons. Des hommes en vêtements civils, des femmes habillées pour sortir, des passants ordinaires sont figés sur place, lisant une feuille sur laquelle il est écrit quelque chose comme : l'ultimatum a été lancé, les troupes font mouvement vers la frontière, la guerre est inévitable. Ici, la paix qui règne dans la ville n'est encore troublée que par la présence des mots imprimés en gros caractères qui font le titre de la une.

---

3. « Sentiments filiaux d'un parricide » (dans : *Contre Sainte-Beuve,* éd. P. Clarac, Bibliothèque de la Pléiade, 1971, p. 154).

Proust apporte cette correction à Hegel : on trouve toujours plus « réaliste » que soi. Le lecteur moderne qu'évoque Hegel passera pour un réaliste résolu si on le compare, par exemple, à un moine bénédictin. Il pourra même s'exprimer en termes quasiment philosophiques : Je ne crois, dira-t-il, qu'aux choses positives, à ce qu'on peut toucher, à ce dont on peut faire quelque chose. Tout réaliste qu'il soit, le lecteur fait pourtant figure d'idéaliste invétéré aux yeux d'un autre plus avancé encore dans le réalisme, qui attachera le plus grand indice de réalité à ce qui est effectivement présent et disponible à portée de main — le café au lait pour y tremper le croissant, le journal pour occuper l'esprit — et qui trouvera beaucoup moins pressante la réalité d'incidents lointains, actuellement invisibles et sans effet sensible sur ce qui se déroule ici et maintenant. Je ne crois, dirait une Mme Verdurin devenue soudain hégélienne après avoir suivi les premiers cours de Kojève, qu'à ce qui se montre réel *pour moi, ici, maintenant* : ce café, ce journal.

Une leçon se dégage : qu'à toute attitude humaine quelle qu'elle soit, il est possible de faire correspondre une métaphysique. Quelqu'un lit son journal avec le plus grand sérieux dont il est capable, comme s'il s'agissait de son salut. Nous lui imputons une ontologie de l'actualité historique : Est réel ce qui change quelque chose au cours historique des choses. Une rentière lit son journal de façon frivole. Nous lui imputons une métaphysique solipsiste : Tout cela est horrible, mais il suffit de tourner la page pour passer à autre chose. Ainsi, toutes les manières de lire le journal, en tant qu'elles figurent en effet une façon de marquer l'ordre qu'on établit dans son souci de ce qui existe, deviennent des philosophies en acte.

Voulons-nous vraiment imputer une métaphysique à Mme Verdurin ? Est-ce nous qui glissons de la philosophie dans des têtes si peu spéculatives, ou bien est-ce qu'elle y serait déjà à l'état implicite ou informulé ? Nous sommes en mesure de déclarer le sens philosophique de n'importe quelle conduite. Mieux, nous pouvons transcrire la différence des attitudes humaines comme une différence philosophique, et la tourner en une dispute de métaphysiciens. Mais l'inconvénient qu'il y a à trouver de la profondeur à des actes ordinaires — prendre un café, lire le journal, suivre l'actualité —, c'est qu'on va trop bien réussir. S'il y a toute une métaphysique dans la façon dont on boit son café, qu'est-ce qui nous empêche de remplacer la méditation métaphysique par la consommation du café ? Nous risquons d'oublier ici la règle d'or de la philosophie : qu'une philosophie peut bien être « idéaliste » ou « réaliste », dialectique ou illuminative, mais qu'elle ne peut pas se permettre de ne pas être *difficile*. Qui s'intéresserait aux problèmes de la philosophie s'ils n'étaient pas spécialement difficiles ? Mais justement, il est trop facile d'attribuer directement une métaphysique à une personne prise dans l'accomplissement ordinaire de l'une de ses besognes quotidiennes. Quand bien même une explication plus complète du sens de sa conduite exigerait l'appoint d'un court traité d'ontologie, il n'en reste pas moins qu'elle n'a pas eu besoin de consulter ce traité pour déterminer sa conduite. C'est nous, philosophes, qui écrirons le texte des pensées ontologiques dont nous avons besoin pour parler de sa manière de faire. Cette différence doit être prise au sérieux. Et même si on pouvait prouver qu'il n'y aurait pas des lecteurs réalistes de journaux dans une culture où il ne s'écrirait pas des traités d'ontologie, nous devons prendre garde que les lecteurs de journaux ne sont pas les lecteurs de ces traités. Le plus probable est que le lecteur réaliste du journal ne comprendrait pas comment il se trouve des gens pour écrire de la métaphysique.

La même leçon peut être tirée si nous prenons les choses dans l'autre sens. Quand nous nous proposons d'analyser la pratique de la lecture matinale du journal, la bonne méthode est en effet de la comparer à un autre rite matinal. Nous observons que les gens qui lisent le journal n'ont plus la tête à dire leurs prières, tandis que les gens qui tiennent à prier n'auraient pas l'idée de se plonger avant toute chose dans le journal. De grandes attitudes humaines envers les événements se dégagent alors, que le philosophe appelle respectivement « réalisme » et « idéalisme ». Mais de là à dire que toute pratique, tout usage, toute façon de faire et de penser peuvent et doivent être reconduits à un premier principe philosophique, c'est un pas de trop. La langue française possède depuis le XVIIIᵉ siècle un terme pour qualifier l'abus de philosophie. Celui qui fait un usage abusif de la philosophie est un *philosophiste*. De façon générale, est un philosophiste celui qui croit pouvoir régler par la philosophie une difficulté qui doit l'être autrement. Il serait certainement philosophiste de soutenir, par exemple, que la différence entre les cultures de la prière et celle du journal se réduit à la différence entre l'idéalisme et le réalisme. Il est vrai que l'accusation de philosophisme est d'un usage délicat. Tout philosophe, même le plus prudent, passera pour philosophiste aux yeux de ceux pour qui c'est la philosophie comme telle qui est de trop. Si l'on ne croit pas qu'il y ait un travail proprement philosophique correspondant à des questions spécifiques, l'idée même de faire la différence entre des « vues générales » et un point philosophique sera dénoncée comme arrogante et inadmissible. Mais le sérieux de la philosophie ne se décide pas dans un choix entre *tout* et *rien*. Des philosophes irrécusables, tels Aristote, nous disent qu'on ne doit pas viser à tout établir par la philosophie : ce serait manquer de *paideia*[4]. Libre au philosophiste de juger que c'est bien là le dogmatisme ou la naïveté pré-critique d'Aristote. Je préfère y voir la preuve qu'on peut attacher la plus grande importance aux analyses philosophiques sans être tenu de dire que tout s'y réduit. Mais il suffit de considérer ceci : nous en saurions vraiment bien peu sur l'époque moderne si tout ce qu'on nous disait de cette époque est qu'elle se montre « réaliste ». En partant de l'idée qu'une époque est devenue réaliste, vous ne savez toujours pas si les gens lisent le journal avec le réalisme d'un entrepreneur ou avec le réalisme d'une rentière. Du principe métaphysique de la modernité, on peut « déduire » tout aussi bien Napoléon que Mme Verdurin.

J'en arrive ainsi à la question qui fait l'objet de ces pages : comment la philosophie peut-elle traiter de l'actualité ?

Les philosophes lisent aussi le journal. Ils ne se privent pas d'y écrire si on les y invite. Comme on ne cesse de nous le rappeler, un « discours philosophique de la modernité » ne cesse d'accompagner l'investissement des intérêts de l'individu moderne dans ce qui se passe actuellement, *ici* et *maintenant*. Autrement dit, la prière matinale du philosophe moderne ne manquera pas d'être réaliste. Mais pas plus qu'elle n'est une prière, la philosophie ne peut être une lecture du journal.

L'idée que la philosophie doive être désormais pour nous un « discours de la modernité » a été à nouveau reprise d'une manière particulièrement frappante par Michel Foucault dans

---

4. *Métaphysique*, IV, 1006a.

son cours de 1983 consacré aux Lumières[5]. Il explique qu'au XVIIIᵉ siècle la philosophie cesse de se préoccuper d'un lien entre nous, qui passerons, et quelque chose d'autre qui ne passera pas. La philosophie devient moderne en renonçant à fonder le passager dans l'éternel. Elle se tourne maintenant vers le présent, vers le « maintenant ». « Qu'est-ce que c'est que ce "maintenant" à l'intérieur duquel nous sommes les uns et les autres et qui définit le moment où j'écris ? » La question philosophique par excellence est maintenant celle de notre actualité historique. Dire que la philosophie est « discours de la modernité et sur la modernité », c'est dire qu'elle a décidé de fixer cette question comme la sienne. Autrement dit, le « discours » du philosophe doit porter sur quelque chose qui est à chercher dans le journal. Et non seulement dans le journal, mais dans le journal *d'aujourd'hui*. La philosophie est « discours de la modernité » parce qu'elle devient, dans un sens éminent, un journalisme. Je ne veux pas dire que l'activité des philosophes qui pensent ainsi soit forcément d'écrire des reportages dans le journal. Le fait que des philosophes écrivent dans les journaux sur des sujets d'actualité n'est pas insignifiant, mais c'est seulement la conséquence d'une pensée autrement grave. Non pas seulement la thèse que, parmi les choses dont le philosophe tient à parler, il en est qui peuvent modifier notre intelligence de l'actualité. Car la thèse est plus forte encore : Tout ce que le philosophe a à dire porte sur l'actualité.

Aussi Foucault distingue-t-il deux « traditions critiques » issues de Kant, entre lesquelles s'est partagée, dit-il, la philosophie. La première est la tradition néo-kantienne de l'épistémologie qui veut que la philosophie réfléchisse sur les conditions de la science. L'autre tradition, à laquelle Foucault dit se rattacher lui-même, est la tradition de réflexion sur notre histoire. Elle se reconnaît dans cette question : Qu'est-ce que notre actualité ? Elle est illustrée, selon lui, par les noms de Hegel, de Nietzsche, de Weber et des marxistes de Francfort. Une philosophie ainsi conçue se propose d'offrir ce que Foucault appelle tour à tour une « ontologie du présent », une « ontologie de nous-mêmes », une « ontologie de l'actualité ».

Toute cette esquisse de la philosophie moderne est en effet

---

5. « Qu'est-ce que les Lumières ? », *Magazine littéraire*, nº 207, mai 1984, pp. 35-39.

remarquablement accordée à ce que suggère l'aphorisme hégélien. Toutefois, il est une chose que le mot de Hegel ne dit pas. Lorsque le philosophe ouvre son journal comme tout le monde pour y prendre connaissance de l'actualité, est-ce qu'il y apprend autre chose que les autres lecteurs ? Discerne-t-il un sens des événements qui échappe au public unilatéralement réaliste ? Ou bien dispose-t-il, en sa qualité de philosophe, de lumières spéciales sur ces nouvelles qu'il ignorait encore avant de recevoir son quotidien ?

Bref, comment une philosophie peut-elle se donner pour le discours de notre actualité, ou *modernité* ? Cette question doit être deux fois précisée si l'on veut éliminer des réponses trop triviales. D'abord, nous demandons que ce soit le philosophe qui parle, et non le citoyen que ce philosophe se trouve être aussi. Qu'est-ce que ce philosophe peut dire de l'actualité au titre de la philosophie, et non à raison des opinions qu'il a, comme tout un chacun, sur les événements ? Nous demandons donc ce qui fonde un avis sur le contenu du journal d'aujourd'hui à se donner pour philosophiquement articulé et motivé. En somme, nous voulons que le philosophe parle en qualité de philosophe. En second lieu, nous demandons que le philosophe parle de l'actualité au sens où elle tient dans les « grands faits divers » du jour, tels qu'ils figurent précisément dans le journal. Car nous ne sommes évidemment pas surpris de trouver que le philosophe est disposé à parler des nouvelles, comme d'ailleurs de toute chose, *sur le mode reduplicatif*. Toutefois, ce n'est pas ce que nous attendons ici. Il appartient, certes, au philosophe de parler des événements considérés *en tant qu'*événements, de l'actuel *en tant qu'*actuel et de l'être *en tant qu'*être. Le passage à une considération reduplicative des choses est indéniablement philosophique. Lorsque le métaphysicien a des choses à dire sur l'actualité, il s'agit toujours de l'actualité en tant qu'actualité. Ce qui veut dire : en tant qu'il s'agit d'éclaircir la différence entre l'actuel et d'autres modalités de l'être telles que le possible, le passé, l'imminent, l'éventuel, l'idéal, etc. Ces différences appartiennent à la métaphysique ou, si l'on préfère, à la grammaire philosophique. Elles valent pour toutes les éditions du journal et n'ont rien à dire qui intéresse une actualité plutôt qu'une autre. Mais l'objet du commentaire philosophique ne doit pas être ici, la différence entre « Le gouvernement a été renversé » et d'autres formes telles que « Le gouvernement aurait pu être renversé », ou encore « Le gouvernement risque d'être renversé ». Le commentaire doit porter sur un sens à dégager par la philosophie du fait que, par exemple, le gouvernement ait été renversé. Autrement dit, il ne doit pas s'agir d'un exemple, comme dans les phrases précédentes, mais d'un fait historique relevé dans l'actualité.

S'il doit y avoir un philosophe de notre actualité, il ne doit être ni simplement un intellectuel ni uniquement un métaphysicien. Par le terme d'« intellectuel », il est permis d'entendre quiconque, lisant son journal, est porté à en discuter le contenu (nouvelles et opinions), en invoquant non seulement des raisons de fait, mais des raisons quasiment philosophiques. Une raison de fait est un argument construit avec ces informations tirées elles aussi du journal, le même, celui de la veille ou une feuille rivale. En lisant le journal, on réagit par des propos du genre : « Cet article a tort de dire que notre camp est plus faible, il est vrai qu'ils sont plus nombreux, mais nous sommes mieux préparés, mieux équipés, etc. » Une raison est (quasiment) philosophique si elle se présente comme un grand principe général à respecter, du genre : la force ne crée pas le droit, on n'a rien pour rien, qui peut le plus peut le moins, pas d'effet sans cause, etc. On dira : Pourquoi dire que ces principes sont quasiment philosophiques, donc pas pleinement philosophiques ? En fait, ils figurent tels quels dans les raisonnements de philosophes de métier. Il vaudrait donc mieux dire qu'il y a de la philosophie partout où des principes de ce genre jouent un rôle. On devrait alors distinguer entre des « philosophes à plein temps » et des « philosophes d'occasion ».

Pourtant, le fait qu'on retrouve matériellement la même phrase dans divers discours ne dit pas encore quel rôle joue cette phrase dans chacun de ces discours. Il s'agit de reconnaître si un axiome général joue ou non le rôle d'un principe philosophique. Ce qui est ici philosophique peut être ailleurs seulement idéologique. Au fond, cette instabilité a quelque chose à voir avec celle qu'avait étudiée Jean Paulhan dans *Les fleurs de Tarbes* : l'idée hautement originale de l'un devient le cliché de l'autre. Rien dans la phrase en litige n'indique si elle est une déplorable facilité verbale ou une invention riche de sens. Ainsi, l'abbé de Saint-Pierre avait réussi à faire tenir toute sa sagesse dans l'idée qu'il ne fallait jamais approuver quelque chose au-delà des limites de mon présent jugement : « ceci est bon, pour moi, quant à présent ». « Mais comme on le plaisantait un jour sur sa formule : "Malheureux ! s'écria-t-il, une formule ! C'est une vérité que j'ai mis trente ans à découvrir" [6]. » Paulhan a contrasté avec bonheur les misères du langage personnel — mon *idée* n'est plus qu'un *mot* pour celui qu'elle ne frappe pas, mon *mot* pourrait bien n'être qu'un *cliché* — et la stabilité rassurante des lieux communs, des proverbes, des locutions éprouvées. Il y a une vie différente des pensées dans la réflexion personnelle de quelqu'un et dans la culture d'un groupe. Les mêmes phrases peuvent figurer ici et là. Elles n'ont ni la même force rhétorique sur un public ni la même espérance de vie.

On pourrait dire que l'intellectuel utilise l'axiome comme *proverbe* alors que le philosophe l'utilise comme *maxime*. Un exemple éclairera ce contraste. On mentionne parfois une prétendue loi de la logique des jugements qui s'énonce : On ne peut pas tirer une prescription d'un jugement de fait. Lorsqu'elle est avancée pour la première fois, cette « loi » est la pensée d'un philosophe et de ceux qui sont de son avis. Elle est le résultat d'un travail de pensée. Quand les philosophes de cette école invoquent le principe selon lequel on ne peut pas tirer un *tu dois* d'un *cela est,* ils font appel à une maxime qu'ils ont adoptée après réflexion et qu'ils ont pris le temps de défendre. Aujourd'hui, cette même « loi » est entrée dans le bagage culturel d'un peu tout le monde. Elle sera citée comme un axiome bien connu, non seulement par des philosophes, mais par des juristes, des critiques littéraires, etc. L'axiome en question n'est plus une maxime de philosophe. C'est devenu un proverbe philosophique qu'on est heureux de pouvoir invoquer pour soutenir une vue en public ou pour mettre en difficulté un adversaire. Par exemple, une façon d'attaquer un Rapport composé d'une première partie descriptive et d'une seconde partie recommandant une certaine ligne d'action sera de dire que ce Rapport n'est pas honnête. Nous savons, dira-t-on, qu'on ne peut pas tirer un *tu dois* d'un *cela est.* Pourtant, le Rapport donne d'abord une description de la situation et fait ensuite des recommandations. Cela veut dire qu'il y a une prémisse évaluative dissimulée, que le Rapport essaie de nous

---

6. *Les fleurs de Tarbes* (1941), dans : Jean Paulhan, *Œuvres,* Cercle du livre précieux, 1967, III, p. 49.

faire prendre la préférence subjective de son auteur pour une donnée de fait.

Les proverbes philosophiques d'une culture sont si peu une philosophie qu'ils résistent remarquablement aux objections des philosophes eux-mêmes. Ces objections ne sont appréciées que des seuls philosophes, elles n'entament pas le crédit public des axiomes qui composent la quasi-philosophie du public, qu'on peut aussi appeler son idéologie. La force qui soutient ces proverbes n'est pas celle de la réflexion. Ils tiennent le crédit dont ils jouissent de leur commodité : grâce à eux, nous pouvons plus aisément coordonner nos opinions communes dans les domaines les plus divers. Les philosophes à maximes n'ont qu'une prise très imparfaite sur les philosophes à proverbes. C'est ainsi que les logiciens ont bien pu expliquer mille fois que la logique n'interdisait nullement de dériver un *tu dois* d'un *cela est*. Voici par exemple une dérivation parfaitement valide : cette eau *est empoisonnée,* donc tu ne *dois pas en boire.* Le fait mentionné dans la prémisse est une excellente raison de déconseiller (et, si l'on en a l'autorité, d'interdire) la consommation de cette eau[7]. Mais le proverbe en question reste en place.

Les proverbes philosophiques d'une époque, qu'on peut souvent faire remonter jusqu'à leur source dans l'œuvre d'un penseur individuel et de ses partisans, composent une manière d'idéologie ou de *bon ton* philosophique de l'heure. On ne doit pas l'identifier aux thèses, aux formulations dogmatiques qu'il est toujours possible d'en donner. En effet, on les changerait

---

7. Nous acceptons normalement la phrase « Cette eau est empoisonnée » comme une excellente *raison* d'émettre la *prescription* « Ne bois pas de cette eau ». On objectera : Ce n'est pas sans réplique, donc l'inférence n'est pas valide comme telle à moins d'ajouter une prémisse, laquelle est donc ici « cachée ». Cette prémisse dira par exemple : Tu ne veux pas ruiner ta santé, ou bien : Je suis investi d'une responsabilité sanitaire à ton égard. Cette remarque n'est pas fausse, mais ne ruine pas la validité de l'inférence du point de vue logique. Une *eau empoisonnée* est une *eau dont on ne doit pas boire.* Si quelqu'un décide de se suicider, il va chercher à boire une *eau dont il ne doit pas boire.* Il ne faut donc pas dire : L'inférence n'est pas valide en bonne logique. Il faut dire : La conclusion n'a pas encore la valeur pratique d'une décision à moins d'attribuer un désir au sujet concerné de l'action. Or il n'existe *aucun* raisonnement pratique qui ait par lui-même une telle valeur pratique, à moins de mentionner un désir (cf. Aristote : « L'intellect ne se montre jamais moteur en l'absence d'un désir », *Traité de l'âme,* III, 433a23). Un raisonnement qui prescrirait inconditionnellement serait idiot : Tu dois faire cela parce que tu le dois. (On sait que l'impératif dit catégorique de Kant n'est inconditionnel qu'envers les motifs « pathologiques » ou « empiriques », qu'il suppose bien évidemment chez l'être libre une volonté de se conduire librement et raisonnablement.)

alors en pensées explicites. Mais les proverbes ne sont pas d'abord énoncés comme des propositions, puis adoptés après examen. Ils ne sont pas non plus dégagés comme des hypothèses nécessaires ou des présupposés. Ils sont déjà là, accordés d'avance par tout le monde. Il ne s'agit pas non plus d'y voir un impitoyable code, une loi secrète organisant à l'insu des intéressés les limites du pensable et de l'impensable. Car il est toujours possible à tel ou tel individu de rejeter pour son propre compte le principe admis par tout le monde. C'est pourquoi la notion de *paradigme* avancée par Thomas Kuhn est utile, alors que la notion d'*épistémé* qu'avait proposée Foucault était inutilisable. Parler de paradigme permet à la fois de dire qu'il y a une contrainte sociale à penser conformément à un exemple majeur d'explication, celui qui passe à l'époque pour particulièrement lumineux, et en même temps que sont momentanément marginalisés ceux qui ne pensent pas de cette façon, ou qui s'occupent trop de ce que le mode d'explication préféré n'explique pas. Autrement dit, il y a à toute époque des thèses qui sont bien reçues et d'autres qui sont mal reçues, non parce que les unes seraient mieux argumentées que les autres, mais parce que les premières seulement vont dans le sens de ce qu'on attend, sens fixé dans les modèles d'intelligibilité alors retenus.

Dans sa philosophie de l'histoire, Hegel organise la suite des époques de l'histoire humaine selon des nécessités purement conceptuelles. Tout l'argument de son histoire philosophique repose sur le fait qu'il y a un concept de liberté. En vertu de ce qu'il faut entendre par le mot « liberté », il est logiquement exclu, par exemple, que nos premiers ancêtres aient été authentiquement libres, ou encore qu'il n'y ait pas eu des sociétés esclavagistes ; en revanche, il est logiquement requis que l'humanité accède « finalement » à la plénitude de la liberté. A son tour, la nécessité d'entendre la liberté dans un sens tel qu'il en résulte cette philosophie de l'histoire est une conséquence logique de nécessités conceptuelles : elle suit de ce qu'il faut entendre par les concepts de l'être et du néant, de l'immédiat et du médiat, du fini et de l'infini, etc. En procédant ainsi, Hegel a pu donner l'impression d'avoir réussi à fondre dans l'unique personnage du philosophe de l'actualité historique les deux rôles jusque-là incompatibles du métaphysicien et de l'intellectuel. Le métaphysicien, traditionnellement, n'a d'yeux que pour les exigences du Concept. Comme le dit la maxime fameuse : « Renoncer aux incursions personnelles dans le rythme immanent du concept, ne pas y intervenir avec une sagesse arbitraire acquise ailleurs, cette abstention est elle-même un moment essentiel de l'attention concentrée sur le concept [8]. » Mais la fonction de l'intellectuel est justement de pratiquer l'« incursion personnelle », de donner son avis, d'interrompre le « rythme immanent du concept » pour proposer d'autres musiques. En fait, ce qui intéresse un intellectuel n'est pas le « Concept » et son « rythme immanent », ce sont les idées nouvelles, les tendances du goût, la direction que prennent les choses. Il importe de ne pas perdre de vue ce que la synthèse hégélienne avait d'inattendu. Elle articulait — bien ou mal — un genre antique de spéculation, celui qu'on trouve dans le *Parménide* de Platon ou dans les traités de Proclus, et un genre récent de vie intellectuelle, genre auquel on avait donné en France le nom de Philosophie. Avant Hegel, on publiait des Systèmes du monde *ou bien* (disjonction exclusive) on écrivait dans les gazettes. Le philosophe de formation hégélienne a l'ambition d'écrire un Système du monde *et* de prendre part à la formation de l'opinion publique. Qui plus est, ces deux activités ne doivent pas rester séparées. C'est le Système qui dicte l'article à publier dans le journal. On a déjà ici la carrière typique de l'intellectuel jeune-hégélien, travaillant à son Système la nuit et le monnayant le jour dans des interventions publiques.

Il va sans dire que la philosophie telle que l'entendent les Français au siècle des Lumières représente le plus extrême rejet des constructions spéculatives qui ont vu le jour de Platon à Malebranche. Comme on sait, la langue du XVIIIᵉ siècle appelle quelqu'un « philosophe » en vertu de ses opinions et de son état d'esprit plutôt que d'une discipline de pensée spécifique. En fait, les Philosophes se passent fort bien de philosophie. Comme le rappelle l'historien Carl Becker : « A propos des Philosophes, il y a un point qui a son importance et qu'on doit, en toute équité, rappeler au passage, surtout parce que peu d'auteurs se donnent la peine de l'indiquer : les Philosophes n'étaient pas des philosophes [9]. » C'est sans doute la raison pour

---

8. Hegel, *La phénoménologie de l'esprit*, Préface (tr. Hyppolite, Paris, Aubier, 1939, I, p. 51).

9. *The Heavenly City of the Eighteenth Century Philosophers*, New Haven, Yale, U.P., 1932, p. 34.

laquelle l'usage est d'employer la majuscule pour cette acception du mot : on ne pense pas à une profession, mais à un type humain. On parle du Philosophe comme on parle du Paysan du Danube, du Huron ou du Polichinelle. Est un Philosophe quiconque présente les vertus qui permettent de participer à une société de pensée : tolérance, esprit critique, politesse, absence de préjugés, etc. Pour les citoyens de la République des Lettres, le philosophe hégélien est un compagnon inattendu. Comme eux, il est préoccupé de l'actualité. Il dit même n'être préoccupé que de l'actualité. Pourtant, il en parle en des termes qui surprennent. On l'entend décrire cette actualité dans un style ésotérique qui suggère quelque société secrète : « le jour spirituel de la présence », « la récollection et le calvaire de l'esprit absolu ». Ce qu'un Philosophe français aura le plus de mal à accepter de Hegel, c'est la méthode. L'idée qu'on doive dévider à l'avance, dans leur ordre nécessaire, tous les concepts composant la structure logique du monde, et ensuite s'en servir comme d'une grille permettant de juger, de dire ce qui est « réel », bien fondé dans l'être, et ce qui est « apparence », existence passagère destinée à disparaître, cette idée méthodique est aux antipodes de la méthode d'un Philosophe, d'un esprit qui se croit éclairé parce qu'il aborde l'expérience *sans préjugés.*

Quant à savoir si les Philosophes eux-mêmes ne font pas à leur insu comme le penseur hégélien, s'ils n'ont pas adopté d'avance un schème conceptuel pour interpréter l'expérience, c'est une autre affaire. Mais ceci au moins paraît clair : c'est parce que le philosophe hégélien dispose d'une métaphysique qu'il se permet de parler de l'actualité, pas seulement des possibilités. L'intellectuel ou le Philosophe des Lumières ne lit pas le journal pour y apprendre comment juger des nouvelles. L'intellectuel lit le journal pour savoir ce qui se passe, et sa raison lui donne le moyen de savoir si ce qui se passe marque un progrès humain ou non. Autrement dit, sa raison lui dit *ce qui serait un progrès* et le journal lui dit *s'il y a progrès* (par application des normes du progrès fournies par la raison aux informations données dans le journal). Le philosophe hégélien estime que la vision de l'*Aufklärer* est « unilatérale ». Nous ne savons pas immédiatement *ce qui serait un progrès*. Nous devons développer un concept de la liberté ou de l'esprit. La question est alors de savoir comment il pourra y avoir une philosophie de l'actualité historique si on élimine à la fois la raison abstraitement normative des Lumières et la métaphysique.

On ne peut manquer de se poser la question quand on voit Foucault se servir du mot savant « ontologie » pour qualifier la philosophie tournée vers la question du présent. Il lui est arrivé de formuler ainsi cette question :

> « La question de la philosophie, c'est la question de ce présent qui est nous-mêmes. C'est pourquoi la philosophie aujourd'hui est entièrement politique et entièrement historienne. Elle est la politique immanente à l'histoire, elle est l'histoire indispensable à la politique [10]. »

On voit bien comment quelqu'un qui se propose de décrire « ce présent qui est nous-mêmes » va écrire une *histoire du présent*. On voit moins pourquoi il tient à l'appeler une *ontologie du présent*. Le mot technique « ontologie » n'a jamais été employé pour désigner autre chose que des recherches conceptuelles (métaphysiques). Ces recherches ne sont pas tenues de se plier à une méthode hégélienne. Il faut pourtant que les questions posées, dans quelque style philosophique que ce soit, n'appartiennent pas à une enquête empirique ou à un travail dans les archives. Il faut qu'une ontologie du présent nous parle du présent en tant que présent, du temps en tant que temps, de l'inaccompli en tant qu'inaccompli, du révolu en tant que révolu, etc. Or les discussions conceptuelles de cet ordre sont notoirement absentes chez Foucault. Conformément au programme positiviste, il ne conçoit l'étude d'un concept que sur le mode historique. Autant dire qu'une *philosophie entièrement historienne* est peut-être politique, mais qu'elle est d'abord étrangère à toute ontologie.

S'il n'y a pas de différence entre la philosophie du présent et l'histoire du présent, il est plus clair de dire, avec Richard Rorty, que la philosophie ne se distingue nullement de la rhétorique. Ou encore, qu'elle ne s'en distingue que par une différence rhétorique, une différence dans le style, mais non dans la validité. Cela revient à soutenir que, pour revenir à la distinction employée plus haut, qu'il n'y a pas vraiment de différence entre les *maximes* d'un philosophe et les *proverbes* d'une culture. La rhétorique reconnaît qu'elle utilise des « proverbes », c'est-

---

10. Dans un entretien avec B.H. Lévy paru dans *le Nouvel Observateur* du 12 mars 1977, p. 113.

à-dire des opinions vénérables, des dictons bien connus, des lieux communs. Ces prémisses rhétoriques valent ce que valent les gens qui les trouvent persuasives. Le philosophe soutient que les maximes auxquelles il s'arrête possèdent une force supérieure à celle des proverbes de l'opinion publique. C'est ici le projet philosophique d'une *pensée radicale*. Il s'agit de penser sans, éventuellement contre, les proverbes de son village. Rorty dénonce cette visée comme l'effet d'une illusion. On ne saurait confirmer les prémisses d'une culture autrement qu'en utilisant les preuves qui sont reçues dans cette culture, c'est-à-dire justement celles qui supposent ces prémisses. Vouloir distinguer le philosophe à maximes du philosophe à proverbes (ou le *philosophe* de l'*intellectuel*), c'est croire que la philosophie, à la différence des autres arts libéraux, peut nous donner une position étrangère à toute culture, à toute tradition, à tout langage particulier. C'est là oublier « que rien ne peut passer pour une justification si ce n'est pas référence à ce que nous acceptons déjà et qu'il n'est pas de chemin qui mènerait hors de nos croyances et de notre langage de façon à leur trouver une autre pierre de touche que la cohérence » [11]. Ainsi, Rorty nous invite à surmonter la conception de la philosophie que s'en sont faite Platon, Aristote, Spinoza ou Hegel. Sous le nom de « pragmatisme » il recommande une réunion de la secte philosophique à l'ensemble de la communauté intellectuelle, ce qui correspond à une notion de la philosophie comparable à celle de Cicéron ou des Humanistes.

Le point important est que la philosophie comme rhétorique d'une génération n'est pas radicale, n'est pas tenue de l'être et ne veut pas l'être. Voici sans doute la raison qui conduit Foucault à revendiquer le mot métaphysique d'« ontologie » au moment où il renonce en fait à toute recherche philosophique

---

11. Richard Rorty, *Philosophy and the Mirror of Nature,* Princeton U.P., 1979, p. 178. Je crois que Richard Rorty n'est pas assez sensible à ceci : en abolissant la différence entre philosophie et rhétorique, il abolit aussi, par la force des choses, la différence entre la conception *philosophique* de la rhétorique (comme art de persuader quelqu'un par des *arguments* sur le probable et le vraisemblable) et la conception opposée de la rhétorique, celle des anti-philosophes pour qui justement la différence entre la philosophie et les beaux et puissants discours est seulement une affaire de *style*. Selon cette conception *anti-philosophique,* la rhétorique est l'art de persuader par les *fleurs de rhétorique* (métaphore filée, métonymie insistante, etc.), on dirait aujourd'hui : par les jeux du *signifiant.* Mais la façon dont Rorty compose ses propres textes montre qu'il préfère la rhétorique argumentative (des philosophes) à la rhétorique du langage fleuri et orné (des anti-philosophes).

autonome[12]. Foucault retient l'ambition de penser radicalement. De la philosophie, il retient au moins ceci, qu'il veut
pouvoir regarder *nos* proverbes comme si c'étaient ceux d'une
autre culture. Mais les regarder avec un tel détachement, c'est
normalement les critiquer. Tout le monde a d'ailleurs aperçu
l'ambition critique de l'enquête de Foucault. On conçoit bien
qu'un travail historique puisse avoir des effets critiques, mais on
ne voit pas comment il pourrait conduire à des révisions *radica-
les*. En fait, une histoire du présent établira son critère du
moderne en contrastant les parties les plus avancées et les
parties les plus arriérées de la population étudiée. La différence
de l'« avancé » et du « traditionnel » sera demandée à la
population elle-même. La « modernité » ainsi entendue est une
affaire de degrés : il y a des villes plus modernes que d'autres,
des techniques plus modernes que d'autres, des familles plus
modernes que d'autres, des pédagogies plus modernes que
d'autres, etc. Peu importe ici le signalement que l'historien
retiendra du moderne. Quel que soit son portrait de l'humanité
moderne, il est certain que ce portrait n'est pas ontologique.
C'est une description historique de la population en question,
ce n'en est pas une détermination ontologique. La différence
pourra sembler oiseuse à ceux qui n'ont que faire de l'ontologie.
Elle décide pourtant de la possibilité d'une philosophie de
l'actualité historique. Le portrait du moderne établi par l'historien est ainsi constitué qu'il peut très bien ne s'appliquer
pleinement qu'à une minorité de la population. Il partage, en
ce sens, le statut des Manuels de bienséance. Il s'écrit des
Manuels de l'homme moderne ou de la femme moderne, de la
jeune fille moderne ou des excitants modernes. Ces essais
hésitent entre le reportage et la satire. On n'est jamais très loin
du Dictionnaire des idées reçues. C'est que le sens dans lequel
l'observateur des mœurs emploie le mot « moderne » est forcé-

---

12. Des auteurs plus compétents que moi ont dit ce qui faisait l'intérêt des
recherches de Foucault conçues comme une *histoire du présent*. Je ne veux ici porter
aucun jugement sur cette histoire. Excellente ou fragile, l'histoire du présent n'est pas,
ne saurait être, ne doit surtout pas être une ontologie du présent.
   Qu'il n'y ait pas de recherche philosophique autonome chez Foucault, cela me paraît
non seulement incontestable, mais clairement voulu par lui. On notera d'ailleurs que
les auteurs qui ont tenté récemment d'exposer la philosophie qui *aurait été* la sienne
s'il avait choisi de l'exposer lui-même sont arrivés à des résultats contradictoires. Selon
H. Dreyfus et P. Rabinow, Foucault serait un philosophe pragmatiste. Selon G. Deleuze, il serait un philosophe transcendental.

ment proche de l'emploi ordinaire. Normalement, il sous-entend un côté désirable et même enviable. Par réaction, il peut être pris en mauvaise part, pour résister aux engouements faciles. Quoi qu'il en soit, l'important est que tout le monde n'est pas tenu d'être moderne. Bien plus, l'historien ou le sociologue ne s'intéressent aux tendances modernes que parce qu'ils constatent la force des tendances conservatrices. Par conséquent, si quelqu'un ne répond pas au signalement donné du moderne, on ne dira pas qu'*il n'existe pas* (ou que le signalement proposé est inexact), mais qu'*il est différent*. La portée critique d'une histoire du présent est de faire ressortir les éléments non modernes, voire anti-modernes, de l'époque contemporaine, et de montrer qu'ils ne sont ni méprisables ni moribonds. Cette portée satirique de l'histoire du présent telle que l'entendait Foucault a été saluée par un historien anti-moderne comme Philippe Ariès.

Mais, si l'histoire du présent avait une portée ontologique, il faudrait poser que ce qui n'apparaît pas conforme au signalement (ontologique) du moderne *n'existe pas*, n'est pas vraiment, n'a que l'apparence de la présence. Si la philosophie est dite ontologie du présent, cela veut dire que nous sommes *si* nous sommes présents sur le mode moderne. On peut entendre par là, à la façon « hégélienne », que le parti anti-moderne n'a pas d'avenir : c'est un « phénomène » sans « réalité ». On peut aussi entendre, à la façon « heideggerienne », que le parti anti-moderne est prisonnier du mode de penser moderne. On peut offrir d'autres réductions. Toujours, le mot « ontologie » doit introduire le point de vue de la reduplication. Si l'ontologie s'attache au « présent » et au « maintenant », c'est pour que la reduplication décisive se fasse sur l'être-maintenant, l'être qui nous revient en tant que nous sommes maintenant. Parler d'*ontologie du présent* est annoncer qu'on veut dériver les traits essentiels de notre vie, les traits par lesquels nous sommes justement ces êtres modernes plutôt que d'autres (ou rien), du sens qui s'attache à l'expression *être maintenant,* par laquelle nous signifions donc plus qu'une date, plus qu'une période, à savoir : un mode d'être spécifique.

Toute thèse ontologique est nécessairement forte. Elle ne tolère pas d'exception ou d'approximation. Nous ne pouvons éviter que tout ce que nous aurons jamais en fait d'être nous soit accordé « maintenant ». Si de plus nous devions soutenir, avec l'« ontologie de nous-mêmes », que la physionomie de notre être est fonction du fait que cette actualité de nous-mêmes nous est accordée maintenant, il n'y aurait pas la moindre chance pour nous d'être autrement. Je veux dire, pas la moindre chance pour quelques-uns de penser ou d'agir autrement que ne le font les contemporains. Il serait ontologiquement établi que ayant pour tout être l'être aujourd'hui, nous ne pouvons être qu'à la mode d'aujourd'hui.

Ces conséquences étranges montrent que la métamorphose de l'*histoire du présent* en *ontologie du présent* n'est pas une coquetterie. Le terme « ontologie », on le voit, introduit dans la chronique des mœurs d'aujourd'hui le sens d'une nécessité. On pourra même parler figurativement d'un destin. Ce que nous sommes, nous étions « destinés » à l'être. Mais la notion même d'une nécessité de cet ordre est forcément étrangère à une authentique histoire du présent, dont on ne voit pas qu'elle puisse s'intéresser à la signification du concept d'*être mainte-nant,* quand tout son intérêt va à la diversité de ce qu'il y a, de fait, maintenant.

Si le philosophe du présent a le même objet que l'historien du présent, et d'ailleurs la même façon de travailler, on ne voit pas comment il peut arriver à des résultats de philosophe. Ainsi, notre problème reste entier : Qu'est-ce que peut bien être une philosophie conçue comme « discours de la modernité et sur la modernité » ? Qu'est-ce qu'on attend des philosophes quand on les invite à traiter du présent ?

2. PHILOSOPHIE
DE LA RÉVOLUTION FRANÇAISE

> — *Er ist ein Prinz.*
> — *Mehr ! Er ist ein Mensch !*
>
> (*Die Zauberflöte*)

Lorsque les opuscules de Kant traduits par Piobetta et réunis sous le titre *La philosophie de l'histoire* ont été repris il y a quelques années dans une collection de poche [1], il a fallu trouver une illustration pour la couverture. On se contentait auparavant de lire ce recueil sous l'austère couverture jaune délavé des éditions Aubier. La nouvelle présentation se devait d'être plus parlante. Le choix s'est porté sur une figure stylisée évoquant la Marseillaise ou la Liberté qui nous appelle : une matrone au visage courroucé, portant le bonnet phrygien, lançant quelque cri de guerre. Pour éveiller l'intérêt des lecteurs que le nom de Kant inquiéterait, on a inscrit cette indication sous le titre : *Les origines de la pensée de Hegel*. Le message est apparemment qu'on peut voir dans Kant le précurseur de la vraie philosophie de l'histoire, qui est celle de Hegel, après quoi on passe normalement à Marx. Sur la quatrième page de couverture, on peut d'ailleurs lire :

> « Une seule fois, au grand étonnement de ses voisins qui connaissaient ses habitudes, Kant modifia l'itinéraire de sa promenade quotidienne : ce fut pour aller, pendant la Révolution, au-devant du courrier qui apportait des nouvelles de France. L'anecdote témoigne de l'intérêt que portait le philosophe de Königsberg à l'événement politique majeur de son temps. »

Ce texte de présentation dit tout. Un Français trouve naturel de dire : la Révolution. Personne ne risque de comprendre qu'il

---

1. Kant, *La philosophie de l'histoire,* Paris, Denoël-Gonthier, collection « Médiations », 1980.

s'agirait d'autre chose que de notre Révolution, par exemple de la Révolution américaine. Qui plus est, on ne doute pas un instant que la Révolution, événement majeur du temps, soit aussi un fait politique majeur à Königsberg. Pour le dire autrement, il paraît aller de soi que la philosophie de l'histoire élaborée par Kant à Königsberg ait les plus grands rapports avec les événements de l'histoire française. Nous entendons bien que la philosophie parle de l'histoire universelle. La suggestion que cette histoire universelle ait, au moins en 1789, son siège à Paris ne nous surprend nullement.

Récemment, alors qu'on s'acheminait en France vers le deuxième centenaire de la prise de la Bastille, ces textes de Kant ont fait l'objet d'un regain d'intérêt. La raison en paraît claire : on y cherche les éléments d'une philosophie du jugement politique, et particulièrement du jugement sur les événements d'une révolution. Le sentiment prévaut aujourd'hui que cette philosophie a fait cruellement défaut pendant les dernières décennies. En France notamment, l'*engagement* en faveur de mouvements révolutionnaires s'est illustré par son inconséquence et son manque de discernement. A cet égard, la couverture du recueil kantien dans la collection « Médiations », si elle répond bien à l'attente du public par sa figure, fait déjà un peu *daté* par son sous-titre. Ce qu'on cherche aujourd'hui chez Kant, c'est plutôt une antidote à Hegel et à Marx. C'est un moyen de porter un jugement sur les événements qui ne se réduise pas à accepter le *tout* de ce qui s'abrite sous le nom de Révolution. A tort ou à raison, on reproche à toutes les conceptions « dialectiques » de l'histoire d'être immorales. Les fameux adages hégéliens sur l'histoire universelle comme jugement dernier ou sur le travail du négatif ont trop servi chez les militants à se décharger de la tâche de juger. On a trop long-temps répété que l'histoire jugeait les hommes, et qu'elle portait un jugement sévère sur ceux qui prétendaient la juger du point de vue « abstrait » ou « unilatéral » d'un principe isolé. Ceux qui voulaient juger l'histoire autrement que par l'histoire se-raient balayés par elle. Un enfer immanent les attendait, connu sous l'aimable appellation des « poubelles de l'histoire ».

Le problème que pose tout retour à Kant est que ces retours ont été précédés d'innombrables allers *von Kant bis Hegel* et *von Hegel zu Nietzsche*. On comprend bien qu'il ne s'agit pas ici de l'histoire des idées, mais de la philosophie même de ces idées. Car les nouveaux kantiens qui placent la philosophie contemporaine devant l'alternative *Kant ou Hegel* ne nieront pas que la formule citée tout à l'heure soit littéralement exacte : les origines de la pensée de Hegel sur l'histoire sont bien à chercher chez Kant. Je ne l'entends pas au sens des influences historiques, mais au sens où toute initiation à la conception hégélienne réclame une exposition de la position kantienne dans son bien-fondé et dans ses insurmontables difficultés. Si l'on nous montre ensuite les impossibilités qui s'attachent à la position hégélienne, nous nous détacherons de l'hégélianisme. Si cela veut dire un retour à Kant, est-ce que nous ne risquons pas de tourner en rond ? Bientôt les paradoxes kantiens vont à nouveau nous préoccuper, et nous leur chercherons une solution. Avant de trouver dans Kant, le philosophe des droits de l'homme, l'archange qui tiendra tête aux philosophies du fait accompli, nous voudrions être sûrs de ne pas voyager en un circuit fermé : l'affirmation des principes conduit à leur chercher une réalisation dans un universel concret, les malfaçons de l'universel concret font qu'on tient à réaffirmer les grands principes.

Le retour à Kant auquel on nous invite aujourd'hui est avant tout le retour à une philosophie du jugement. Ce qui rend précieuse l'opinion de Kant sur la Révolution française est qu'elle est un jugement sur un événement contemporain. Il est facile d'être sage vingt ans après. Nous voudrions que la philosophie nous éclaire pendant la bataille, sans attendre la fin des combats et le « jugement de l'histoire ». Faute de quoi notre sagesse tardive reste amère. L'intellectuel contemporain peut bien condamner aujourd'hui les errements d'hier, en particulier l'engagement stalinien. Tant qu'il s'en tient à un *si j'avais su*, il n'a toujours pas entamé l'indispensable réforme philosophique du jugement politique. Bien sûr qu'on aurait évité de commettre les erreurs d'hier si l'on avait su qu'elles vous seraient reprochées aujourd'hui par les victimes historiques. Toutefois, le problème d'un jugement sur l'actualité n'est pas de dire comment j'aurais jugé si j'avais su, ou plutôt comment j'aurais *dû* juger si j'avais su, mais comment j'aurais *pu* raisonnablement juger avec ce qu'il était possible de savoir à l'époque.

Il nous semble que Kant a connu le problème qui nous occupe aussi : comment doit-on faire pour appliquer des principes en eux-mêmes intemporels à des situations que nous appelons

« événements » justement parce qu'elles sont inédites ? Comment appliquer des principes qui se veulent inconditionnels à des situations complexes dans lesquelles le bon droit n'a pas encore été clairement déclaré ? Aussi cherche-t-on chez Kant *le livre qu'il n'a pas écrit :* une critique de la raison politique[2]. En l'absence d'une quatrième critique, on s'adresse à la troisième, la *Critique de la faculté de juger.* On sait que cette dernière explique comment il est possible d'extraire des normes pour notre jugement de goût (« Ceci est beau ») de la simple idée d'une communication entre nous. Que la communication soit possible entre les êtres humains est à certains égards un fait, mais ce n'est pas seulement un fait. La communication est aussi une idée porteuse d'exigences. Chaque fois que quelqu'un prend la parole pour s'adresser à son semblable, il suppose que la communication est possible. Son interlocuteur peut le comprendre, à condition que ce qu'il dise soit compréhensible et que cet interlocuteur accepte de comprendre ce qui est compréhensible. Mais le propos de quelqu'un est compréhensible s'il est formulé de façon à satisfaire les normes de la communication. Ces normes prescrivent au locuteur de s'adresser, quand il parle, à la raison de son interlocuteur, la raison étant maintenant définie comme la faculté de communiquer. Kant appelle ces normes les « maximes du sens commun »[3]. Il en compte trois : 1) la maxime d'une pensée *sans préjugés* (« penser par soi-même ») ; 2) la maxime d'une pensée *élargie* (« penser en se mettant à la place de tout autre ») ; 3) la maxime d'une pensée *conséquente* (« toujours penser en accord avec soi-même »). C'est surtout la première maxime, celle qui prescrit l'autonomie de la raison et la lutte contre les préjugés, qui définit pour Kant l'*Aufklärung.* On sait comment les défenseurs contemporains de l'*Aufklärung,* en France Eric Weil, en Allemagne Jürgen Habermas, ont remis en honneur cette vue de Kant, de façon à reconstruire la philosophie rationaliste sur la base d'une raison définie comme faculté de communiquer, et non plus comme pouvoir d'accéder solitairement à des vérités évidentes.

De là Kant conclut à la légitimité relative des jugements esthétiques. Puisque la communication est possible, il est légitime de supposer que même ces jugements de goût, qui

---

2. Jean-François Lyotard, *Le différend,* Paris, Minuit, 1983, p. 189.
3. *Critique de la faculté de juger,* tr. Philonenko, Paris, Vrin, 1968, § 40.

paraissent d'abord irréductiblement subjectifs, peuvent être partagés. Nous exprimons notre plaisir esthétique, nous formulons un jugement. S'il s'agit bien d'un jugement, et non simplement d'un cri de plaisir, cette expression contient déjà de notre part une réflexion sur la possibilité de partager avec autrui une opinion esthétique. Le fait qu'il y ait des discussions en matière de goût montre que chacun de nous est déjà le citoyen d'une République cosmopolite réunissant tous les sujets dotés d'un sens commun.

Mais où est ici la critique de la raison politique ? Castoriadis a raison de noter le paradoxe qu'il y a à chercher la politique de Kant dans son esthétique :

> « Pourquoi devrait-on recourir à la *Critique de la faculté de juger,* quand toute la philosophie *pratique* de Kant est explicitement tournée vers la formulation de règles et de maximes de jugement et de choix dans les affaires "pratiques" ? Pourquoi, dans les discussions récentes, néglige-t-on les bases apparemment solides offertes par la philosophie de Kant en matière de jugement politique fondamental — alors que, il y a quelque quatre-vingts ans de cela, elles ont abondamment inspiré les socialistes néo-kantiens, les austro-marxistes, etc. ? »[4].

Ces questions sont pleinement justifiées. Pourquoi cherche-t-on une philosophie pratique, non dans les textes de Kant qui portent sur la pratique, mais dans ceux qui portent sur la validité des jugements esthétiques ? C'est apparemment que nous n'avons que faire d'une simple réaffirmation des principes républicains dérivés de l'idée d'autonomie. Après tout, la critique hégélienne a porté. Les formules de la Loi morale n'ont pas d'application automatique. Par elles-mêmes, elles sont vides. On peut bien dire que l'objection est « classique », « bien connue », on y est malgré tout sensible. En fait, nous sommes intéressés à savoir comment porter un jugement sur un événement. Pour pouvoir soumettre cet événement à des principes tels que le respect des droits, l'exigence d'autonomie, il faut déjà l'avoir raconté d'une certaine façon. Il faut avoir choisi entre différentes versions concurrentes du même événement. La chose va tellement de soi qu'on ne croit pas nécessaire de le dire, après quoi on l'oublie dans la formulation purement abstraite. Suis-je en infraction avec la Loi qui réglemente la

---

4. *Domaines de l'homme,* Paris, Seuil, 1986, pp. 270-271.

circulation automobile si je roule à gauche d'une rue à double sens de Paris ? Et si tout le monde en faisait autant ! De quel droit faire une exception pour moi-même ? Ma maxime n'est pas universalisable ! Oui, mais dois-je, pour satisfaire à l'obligation raisonnable qui nous est faite de rouler d'un seul côté, écraser les ouvriers qui réparent le côté droit de la chaussée ? Mon action n'est pas encore sujette à une évaluation tant qu'elle n'a pas été décrite d'une façon ou d'une autre. C'est *under a description,* dirait un philosophe analytique à la suite d'Elizabeth Anscombe, qu'une action est intentionnelle, et comme telle sujet d'application des prédicats normatifs[5]. Avant d'appliquer les grands principes à l'événement, il a fallu décider d'une version *judicieuse* de cet événement que nous voulons, comme on dit, « penser ». C'est pourquoi notre véritable problème est de savoir ce que c'est que faire preuve de jugement devant un événement. Autrement dit : de faire preuve de jugement dans la sélection des aspects sous lesquels il convient de raconter l'événement.

Il se trouve que la version sous laquelle Kant estime qu'il peut philosophiquement parler de la Révolution française en est la version esthétique. Il reste à savoir s'il est possible de porter un jugement politique sur des événements décrits sous un aspect purement esthétique.

Parmi les textes qui composent *La philosophie de l'histoire* de Kant, il en est un qui justifie le fait de donner la Révolution française pour point de mire à la pensée du philosophe sur l'histoire. Il s'agit de la deuxième section du *Conflit des facultés* (écrite en 1795), qui est consacrée à la question : Le genre humain est-il en progrès constant ? Comme on pouvait s'y attendre, Kant aborde cette question par le biais épistémologique : s'il y avait un tel progrès, comment pourrait-on le savoir ? Il construit alors une théorie du « signe historique », dans lequel on verra plutôt une manière d'indice qu'un oracle herméneutique. C'est dans ce contexte qu'il en vient à mentionner la Révolution française.

Le lecteur de ce texte est d'abord frappé par l'insistance de Kant à rappeler la distance géographique qui le sépare, lui philosophe, des événements en question. Il écrit, souligne-t-il, « dans un pays éloigné de plus de cent lieues du théâtre de la

---

5. G.E.M. Anscombe, *Intention*, Oxford, Blackwell, 1957.

Révolution »[6]. Il n'est pas question de tirer des conclusions politiques *ici* (en Prusse) de ce que le philosophe trouve à dire sur ce qui se passe *là-bas* (en France). Il est admirable que les Français aient renversé leur monarchie. N'en concluons pas que les autres peuples doivent en faire autant séance tenante. On explique parfois que Kant prend des précautions, qu'il doit être prudent, tourner la censure. Cette explication ne vaut pas, car toute l'argumentation de Kant repose sur la possibilité d'établir une claire division entre la scène de la Révolution, où s'agitent les acteurs, et le lieu où se tient le *public,* dont le philosophe s'autorise pour prendre la parole. Sans cette distinction de la scène et de la *salle,* comme dit Lyotard[7], le raisonnement s'effondre.

Car la Révolution française elle-même ne fournit pas le signe que le genre humain est en progrès. Est-ce que l'événement de la Révolution va faire progresser l'humanité ? On ne le sait pas. Est-ce qu'au moins l'action des révolutionnaires prouve que les hommes sont capables de revendiquer leurs droits ? Cela non plus, on ne le sait pas. Qui peut dire si les jacobins sont inspirés par la Liberté qu'ils invoquent ou par des intérêts particuliers ? Le signe historique du progrès sera fourni par la réaction enthousiaste du public. Il faut préciser : ce public assiste à un spectacle et il le considère comme un spectacle, sans dangers ni promesses pour les spectateurs. Alors seulement nous tenons le signe certain demandé : l'enthousiasme d'un public qui n'a rien à perdre et rien à gagner dans cette affaire prouve que le genre humain peut et doit progresser.

Pour donner un avis de philosophe sur la Révolution française, Kant s'entoure d'un luxe de précautions qui devrait décourager les lecteurs qui veulent trouver dans ce texte le patron d'une philosophie critique de la politique. Ce que dit en somme Kant, c'est que, si nous assistons à la *représentation* d'un drame opposant la cause morale de l'Ancien régime (honneur) et celle de la Révolution (droits de l'homme), nous pouvons bien être émus par la valeur et la noblesse des partisans de l'honneur, mais il nous est impossible de ne pas nous identifier aux partisans de la Révolution.

---

6. *La philosophie de l'histoire,* p. 190, n. 2.
7. *Le différend,* pp. 240-241.

> « Même le concept d'honneur de la vieille noblesse guerrière (proche parent de l'enthousiasme) finit par s'évanouir devant les armes de ceux qui avaient en vue le *droit* du peuple auquel ils appartenaient, et s'en considéraient comme les défenseurs ; exaltation avec laquelle sympathisait le public qui du dehors assistait en spectateur, sans la moindre intention de s'y associer effectivement » [8].

On ne saurait mieux dire que le philosophe, comme philosophe, n'a rien à dire sur la Révolution française prise en tant qu'*événement*. Sur les principes qu'elle invoque, c'est autre chose. Si on persiste à l'interroger, il demande qu'on lui permette de remplacer l'objet du jugement politique *événement d'une révolution* par l'objet du jugement philosophique *droit du peuple à disposer de lui-même*. Insiste-t-on pour que le philosophe se prononce sur l'actualité, sur le fait qu'il est un peuple qui vient justement de se donner une constitution (et même déjà trois de 1789 à 1795 : celle de la Constituante, celle de la Montagne et celle de Thermidor) ? Le philosophe n'a rien à vous dire que vous ne sachiez déjà ou dont vous ne deviez juger, comme tout le monde, par vous-même : Qu'il y a bien des intérêts en jeu, que la cause révolutionnaire est certes noble, mais que les défenseurs de cette cause n'en sont peut-être pas les meilleurs serviteurs, qu'il est douteux que les Français puissent vouloir repasser par de pareilles épreuves, que le progrès des Lumières vient en général « de haut en bas » et non « de bas en haut », etc. Kant comme philosophe est trop averti de la différence entre une proposition philosophique et une proposition empirique pour croire qu'il soit si facile au philosophe de se planter devant l'actualité et d'en déclarer le sens. C'est pourquoi, au lieu de regarder ce qui se passe sur la scène, il écoute ce qu'on dit dans la salle. Kant se tourne vers la réaction *esthétique* du public, dans ce texte où ce qui l'occupe est de trouver l'indice attestant qu'il y a progrès, parce qu'il veut éliminer tout ce qui doit faire l'objet du *jugement politique*. La réaction du public prouve qu'il y a progrès quoiqu'il en soit de la Révolution. Elle peut réussir comme elle peut échouer. Elle peut même accumuler des misères et des atrocités. Tout cela ne compte pas puisqu'il ne s'agit ici que de déceler « une disposition morale du genre humain ».

---

8. Kant, *op. cit.*, p. 172.

De toutes les versions possibles d'une évocation de la Révolution française, Kant choisit l'esthétique, celle qui la présente comme une suite d'événements lointains et sans effet sur les pays voisins. Il est possible que le public européen en ait jugé ainsi au début. Si pourtant on s'est cru à l'abri de la tourmente parce qu'on était à Milan, à Francfort ou à Berlin, on s'est trompé. Les spectateurs qui ont applaudi du fond de la salle ont manqué de jugement politique. Ils n'ont pas vu que l'action ne pourrait rester longtemps cantonnée à la scène.

Ce qui conduit à poser la question suivante : Pourquoi la preuve cherchée doit-elle conserver un lien avec un événement réel ? Pourquoi Kant ne se contente-t-il pas de l'enthousiasme manifesté dans un vrai théâtre, à l'occasion de la représentation de quelque drame grandiose ? Une chose est sûre : il n'est pas requis, pour le raisonnement de Kant, que le public enthousiaste soit convenablement informé de ce qui se passe en France. C'est la représentation, l'*idée* révolutionnaire, qui suscitent les sentiments sublimes du public. Sans doute le public veut-il croire que cette représentation est fidèle aux événements. Il suffit pourtant qu'il ait cette croyance, en toute bonne foi, pour que le signe historique du progrès soit donné. On voit la conséquence scandaleuse qui s'ensuit aussitôt de tout essai d'extraire une politique de ces observations sur l'enthousiasme européen pour la Révolution. S'il s'agit maintenant de juger en quoi que ce soit la Révolution par les réactions du public, on en viendra vite à justifier le procédé qui consiste pour nous, membres du public « universel », à prendre fait et cause pour n'importe quel parti d'une lointaine révolution dès que notre vague information ne nous empêche pas d'attacher à ce parti des bons sentiments. On sait jusqu'où certains spécialistes du soutien à des causes mal connues du public, et surtout d'eux-mêmes, ont su pousser l'art de la *direction d'intention.* Oui, disent-ils, j'ai applaudi Staline ou Mao, mais l'*intention* de mon enthousiasme n'était pas dirigée vers Staline en chair et en os, ou vers Mao tels que les Chinois l'ont connu. Mon soutien allait en réalité à la noble idée de révolution, à la belle image du dirigeant prolétarien, au personnage exaltant que Staline et Mao auraient dû être tour à tour pour tenir convenablement le rôle qui leur était attribué dans notre représentation.

L'emploi du mot « enthousiasme », qui désigne pour Kant un sentiment sublime, aurait dû mettre en garde contre l'idée de donner une portée politique à un texte dont le propos est épistémologique. En effet, la situation qui éveille les sentiments sublimes est pour Kant caractérisée par la distance du spectateur au spectacle. Ce qui est sublime, c'est un violent dérangement du monde, mais à condition pourtant que le spectateur ne soit pas lui-même dérangé. Selon l'analyse canonique de Kant, les spectacles sublimes sont ceux qui présentent une concentration ou un déchaînement de forces écrasantes (si on s'en tient au sublime « dynamique »). Il y a un sublime de la tempête et du volcan comme il y a un sublime de la guerre, et pour la même raison. A chaque fois, celui qu'une puissance terrifiante menace de réduire à rien est aussi celui qui trouve ainsi l'occasion de se mesurer soi-même au moment où il prend la mesure des forces adverses. Aucune force matérielle ne peut l'emporter sur la résolution d'une libre volonté. Or, comme le remarque aussitôt Kant, nous avons le loisir d'apprécier esthétiquement ces situations où l'homme est sublime à la condition de ne pas nous y trouver en personne. Un être qui se tient debout fièrement devant la force démesurée est sublime. C'est lui qui se montre grand, mais c'est nous, bien à l'abri, sujets d'une expérience esthétique, qui éprouvons cette grandeur. Un marin surpris par la tempête, ou un voyageur enveloppé par un orage, seraient des téméraires ou des brutes s'ils ne ressentaient aucune frayeur.

> « Mais si nous nous trouvons en sécurité, le spectacle est d'autant plus attrayant qu'il est plus propre à susciter la peur ; et nous nommons volontiers ces objets sublimes, parce qu'ils élèvent les forces de l'âme au-dessus de l'habituelle moyenne (...) »[9].

Tant qu'on reste dans l'ordre esthétique, le fait que le sujet éprouvant la grandeur humaine soit en réalité à l'abri du danger ne compte pas. Ce fait est constitutif de l'expérience esthétique elle-même : il faut qu'on ait les impressions du danger sans la réalité du danger. Il suffit que le danger nous soit présent d'une présence esthétique. Reste que, dans ce face-à-face esthétique avec le danger, nous sommes plutôt des touristes que des combattants.

> « L'estime que nous nous portons n'est en rien diminuée par le fait que nous devons nous voir en sécurité, afin d'éprouver

---

9. *Critique de la faculté de juger*, § 28, trad. cit., p. 99.

cette satisfaction exaltante ; et par conséquent le fait que le danger ne soit pas pris au sérieux n'implique point (comme il pourrait sembler) que l'on ne prenne pas au sérieux ce qu'il y a de sublime dans notre faculté spirituelle » [10].

La réalité du danger n'est pas nécessaire puisqu'il s'agit d'esthétique, c'est-à-dire d'un *jeu* avec des possibilités. Chaque fois qu'il y a tempête, nous pourrions être en mer au lieu d'être en sécurité sur la rive. Nous pouvons nous représenter que nous y sommes, et nous pouvons éprouver dès maintenant, dans cette fantaisie, ce que nous ressentirions si nous y étions. Nous comprenons alors que nous aurions peur, et que nous serions vraisemblablement vaincus, mais non pas nécessairement humiliés.

Mais il y aurait bien sûr sophisme à glisser subrepticement du jeu au sérieux, de la tempête comme spectacle à la tempête comme réalité. L'expérience esthétique est une occasion de prendre la mesure de notre *destination,* de la grandeur à laquelle nous sommes appelés en tant qu'hommes. Cette expérience n'a évidemment rien à dire sur les actes dont nous serions effectivement capables le moment venu, sur notre *caractère*. Il y a loin, on s'en doute, de la vocation de grandeur aux œuvres qui seules l'attesteront. Kant explique que le sublime est donné dans le sentiment. Ce serait pourtant un renversement fallacieux qui ferait conclure du sentiment de notre grandeur possible à la grandeur de nos sentiments présents, et de là à une quelconque grandeur présente de notre personne. Tant qu'on a en vue l'esthétique du sublime, il est permis de parler d'une seule humanité pour celui qui vit réellement l'expérience dangereuse et pour celui qui la vit esthétiquement, c'est-à-dire de façon imaginaire. Kant peut donc dire, parlant d'un spectateur contemplant un spectacle naturel empreint de sublime : « L'humanité en notre personne n'est pas abaissée, même si l'homme devait succomber devant cette puissance » [11]. Quel est ici l'homme menacé ? Ce n'est pas le spectateur, mais il n'importe. Si nous passons maintenant au point de vue pratique, nous devons rétablir la différence de l'acteur et du spectateur. Nous ne pouvons pas prétendre que nous sommes tous également grands, les uns parce qu'affrontant un danger réel, les

---

10. *Ibid.*
11. *Ibid.*

autres parce qu'éprouvant des sentiments élevés. S'il s'agit de juger, non plus de la destination humaine en général, mais de la force d'âme des personnes particulières, il va de soi que chacun doit retrouver son humanité singulière. En un mot, l'épreuve de soi qu'est l'expérience du sublime est bien une épreuve de la grandeur humaine, mais c'en est une *par procuration*. Nous reconnaissons à quelle noblesse morale nous sommes destinés à nous élever. Il serait présomptueux d'en tirer un jugement quelconque sur le caractère dont nous ferions personnellement preuve le cas échéant, et ridicule de nous attribuer personnellement la moindre noblesse au vu du sublime de nos sentiments.

Il ne me paraît donc pas légitime de demander à Kant la formule d'une sorte de *politique des intellectuels,* ces derniers étant en somme définis par un statut de purs spectateurs, et recevant de ce fait la fonction de *sympathiser* du fond de la salle avec le camp qui représente une idée exaltante plutôt que des intérêts ou des liens empiriques. Ce qui devrait être aujourd'hui ressenti comme problématique, après les pantalonnades de l'*intellectuel engagé,* c'est la notion même d'une politique pour philosophes, je veux dire d'une politique rigoureusement restreinte à l'appréciation d'une Cause, sans qu'on doive tenir compte de l'honorabilité de ses représentants et de l'opportunité politique des initiatives prises, opportunité dont on doit forcément juger du point de vue de ceux qui en subiront les conséquences. Foucault, dans son cours de 1983 sur les Lumières, a commenté notre texte du *Conflit des facultés.* Il a bien noté que l'originalité du point de vue kantien était dans la façon dont la Révolution française était considérée : comme « spectacle » et non pas comme « gesticulation ». C'est justement dans cette distinction de la gesticulation et du spectacle que Foucault place l'intérêt pour nous de ce texte. Foucault voit bien que Kant élimine la question politique au sens ordinaire. Pour le philosophe, la question importante n'est pas de savoir « quelle est la part de la Révolution qu'il conviendrait de préserver et de faire valoir comme modèle » [12]. Foucault n'en conclut pas que Kant est ici occupé à traiter une question plus théologique (le monde est-il bien fait ?) que politique. Il se figure que nous avons encore une autre décision politique à prendre, au-delà de

---

12. *Magazine littéraire,* n° 207, mai 1984, p. 39.

celle qu'énonce la question précédente, et que Kant nous invite à penser cette autre décision. La question, dit Foucault, « est de savoir ce qu'il faut faire de cette volonté de révolution, de cet "enthousiasme" pour la Révolution qui est autre chose que l'entreprise révolutionnaire elle-même ». L'écrit de Kant serait particulièrement précieux pour les intellectuels des années 1980, eux qui ont perdu le goût de participer à une *entreprise révolutionnaire* (à la Révolution comme « gesticulation »), mais n'en ont pas pour autant renoncé à suivre le *spectacle* et à s'identifier au bon camp. La solution offerte par le texte, si l'on comprend bien, serait justement dans cette dissociation : laissons l'entreprise révolutionnaire aux révolutionnaires que nous ne sommes pas et que nous n'avons jamais été de plein cœur, et faisons quelque chose de notre enthousiasme, de notre désir d'une « participation passionnée au Bien » [13]. La solution est d'exprimer notre enthousiasme pour le spectacle tout en faisant des réserves sur la gesticulation. Nous avons fini par enregistrer certains faits pénibles : il est possible que les révolutions soient, non seulement « trahies », mais désastreuses. La division de l'acte et de sa représentation permet de séparer le *sens* d'un soulèvement de ses *résultats* historiques. La politique des intellectuels serait donc de soutenir les causes sans avoir à juger de leur bien-fondé politique au sens ordinaire du mot. Autrement dit, la politique est éliminée au profit de la morale. C'est une vieille habitude chez les clercs, mais jamais on ne l'avait formulé aussi clairement que dans cet article du *Monde* où Foucault oppose la morale anti-stratégique de l'intellectuel à la morale stratégique du pouvoir [14].

Le « stratège » parle ainsi :

> « Qu'importe telle mort, tel cri, tel soulèvement par rapport à la grande nécessité de l'ensemble et que m'importe en revanche tel principe général dans la situation particulière où nous sommes ? »

En parlant comme il le fait de la « grande nécessité de l'ensemble », Foucault laisse entendre que l'appel à faire quelque chose parce que « l'ensemble » en a besoin est toujours abusif. Il

---

13. Kant, *La philosophie de l'histoire,* p. 171.
14. « Inutile de se soulever ? », *le Monde,* 11-12 mai 1979, p. 2. Foucault répond dans cet article aux critiques qui lui avaient reproché son soutien initial à la « révolution islamique » de Khomeiny en Iran.

n'arrivera jamais qu'au nom de l'ensemble on soit en droit d'attendre légitimement que les parties acceptent certains dévouements ou certains sacrifices. La formule parlant de la « grande nécessité de l'ensemble » est vague à souhait : elle empêche qu'on distingue entre un raisonnement totalitaire et un raisonnement politique. C'est la politique, au sens commun du terme, qui est ici la menace totalitaire. Le raisonnement *totalitaire* invoque en effet la « grande nécessité de l'ensemble » et justifie en son nom les massacres et les spoliations. L'ensemble dont il s'agit alors est par définition une totalité non seulement idéale (au sens où elle n'est donnée que dans la représentation qu'on s'en fait), mais artificielle : la totalité qui réclame de nous son tribut de violence et d'oppression est une totalité qui doit précisément naître de notre mobilisation. Elle est l'humanité à venir ou la race élue. Foucault a tourné sa phrase pour qu'on ne puisse manquer de penser aux sophismes de la période stalinienne : personne n'est innocent, tout le monde a les mains sales, l'histoire progresse par son mauvais côté, qu'importent en effet toutes ces morts puisqu'il s'agit d'engendrer l'homme nouveau. Mais sa phrase n'exclut pas que l'ensemble en question soit un être politique, c'est-à-dire une totalité existante. Le raisonnement *politique* est celui qui se fait du point de vue d'une société constituée en tant qu'elle doit sans cesse faire face à des choix difficiles. Il suffit par exemple de se demander comment un « stratège » appliquerait la formule de Foucault à une situation telle que celle dont sont résultés les accords de Munich de 1938, pour voir qu'on ne sait ni de quel ensemble ni de quel « nous » il s'agit ici. Le prétendu stratège sera-t-il munichois ou anti-munichois ? La « grande nécessité de l'ensemble » servira-t-elle de prétexte au sacrifice des gens que nous avions la charge de protéger (nos alliés d'Europe centrale) ou à un nouveau massacre des soldats français (selon le point de vue pacifiste) ?

Quant à la politique « antistratégique » de l'intellectuel, elle pourrait bien consister, malheureusement, dans le fait de s'accorder d'avance un brevet d'irresponsabilité illimitée.

> « Ma morale théorique est inverse. Elle est "antistratégique" : être respectueux quand une singularité se soulève, intransigeant dès que le pouvoir enfreint l'universel. Choix simple, ouvrage malaisé (...) » [15].

---

15. *Ibid.*

On respectera le soulèvement d'une « singularité » quelle qu'elle soit, donc sans tenir compte du droit des autres « singularités » à l'intérieur de l'ensemble au sein duquel les droits sont distribués, car l'« universel » qu'on pourrait opposer à cette singularité serait toujours la mensongère « grande nécessité de l'ensemble ». Il n'y a pas lieu de se demander si certains soulèvements « singuliers » ne seraient pas abusifs. La singularité (terme d'une rare abstraction !) a toujours raison de se révolter, non qu'elle ait besoin d'une raison quelconque, mais parce qu'on sait d'avance que l'universel qui lui est opposé est faux. Ensuite, tout s'inverse quand il s'agit pour l'intellectuel de surveiller le « pouvoir ». Les autorités en place n'ont droit ni à la singularité ni même aux situations particulières. Pour elles, il n'y a que de l'universel. Les principes généraux doivent être appliqués sans aménagement. On ne saurait mieux dire qu'il n'y a ici aucune place pour le jugement politique.

Par le prodige d'une plume virtuose, Foucault parvient à unir dans une seule phrase une éthique surréaliste réclamant un état d'exception permanente pour l'individu et une éthique de clerc sourcilleux. C'est l'alliance inattendue du marquis de Sade et de Julien Benda.

La *politique des intellectuels* : cette notion offrait un sens, dont on pouvait discuter, mais qui méritait l'examen, tant qu'on pouvait rattacher les intellectuels à quelque ensemble hautement signifiant. Les intellectuels pouvaient constituer une autorité spirituelle : ils faisaient alors partie d'un ensemble comprenant un pouvoir temporel et un pouvoir spirituel, qu'on pouvait se représenter comme l'approximation terrestre d'une République idéale des esprits. Ou bien ils étaient une avant-garde : ils faisaient donc partie d'une grande armée préparant la République mondiale des travailleurs émancipés. L'intellectuel selon Foucault ne reconnaît la validité d'aucun ensemble, ni idéal ni existant. Il n'imagine pas qu'on puisse condamner le soulèvement d'aucune singularité. Classiquement, une cité dans laquelle toute singularité est légitime est une cité soumise à un *tyran*. Le tyran exerce précisément le pouvoir d'après les singularités de son désir et non d'après la « grande nécessité de l'ensemble ». Dans cette cité, le mensonge est de dire *nous,* la vérité de dire *je.* Selon Foucault, toute la tâche de la philosophie est aujourd'hui de constituer une « ontologie de nous-mêmes ».

Mais il n'y a pas de place pour un *nous-mêmes* dans ce mode de penser.

Les diverses *politiques de la philosophie* qui nous sont proposées depuis que le marxisme a perdu son crédit participent de ce que Reinhart Koselleck appelle l'« hypocrisie critique » [16]. Ce qu'il dégage sous ce chef est une véritable « figure de l'esprit », au sens hégélien de l'expression. La critique dont il s'agit ici est le mode de penser propre à la population qui se retrouve, à partir de la fin du XVIIᵉ siècle, dans les sociétés de pensée formant la République des Lettres. Le mode de fonctionnement de ces sociétés — celui d'un club de discussion où la communication est sans entraves — devient le modèle qu'on voudrait voir imiter par toute vie sociale. Koselleck montre comment cette version de la République des Lettres s'épanouit à l'ombre de l'Etat absolutiste, lequel repose sur la division de la politique (raison d'Etat) et de la morale (for intérieur). C'est seulement dans la *conscience du roi* qu'un lien mystérieux subsiste entre la visée des fins politiques et la visée de fins plus hautes et plus universelles. De leur côté, les *sujets du roi*, déchargés de tout souci proprement politique, sont libres de cultiver les arts ou de se donner du plaisir. Mais bientôt ces sujets foncièrement apolitiques, sans s'aviser des conditions fort particulières et fragiles qui leur permettent d'avoir entre eux de libres discussions, vont revendiquer la fonction critique qui appartient légitimement à qui incarne l'*universel*. L'universel, c'est ici le point de vue de l'homme intégral ou de la raison. L'hypocrisie est alors dans le fait d'avancer des revendications politiques fondées sur l'absence de toute politique, ou de dissimuler des visées politiques derrière le refus de tout jugement politique. En pratique, cette hypocrisie critique s'exerce comme dénonciation incessante des superstitions et des actes tyranniques. Hier, le Philosophe éclairé, aujourd'hui le critique idéologique dénoncent les abus qu'ils observent autour d'eux. Pourtant, il ne peut être question d'*abus* que là où il peut aussi être question de *bon droit*. Il n'y a d'abus de religion (superstition) que s'il y a une pratique légitime d'un culte. Il n'y a d'abus de pouvoir (tyrannie) que s'il y a des actes légitimes d'autorité. Or l'hypocrisie critique découvre partout l'abus, mais ne nous

---

16. *Kritik und Krise* (traduction française par H. Hildenbrand sous le titre *Le règne de la critique,* Paris, Minuit, 1979).

donne aucune idée de ce que pourrait être le bon droit correspondant. Il est pourtant clair que, si toutes les pratiques religieuses sont superstitieuses, il n'y a plus lieu de dénoncer celles qui sont abusives : il n'y a plus qu'à déplorer, et pour son seul usage, la faiblesse de l'esprit humain. De même, si tout acte de pouvoir est arbitraire, il n'y a plus lieu de protester contre le pouvoir : il ne reste plus qu'à se retirer, du mieux qu'on peut, loin de l'endroit où le pouvoir s'exerce.

« Les philosophes des Lumières démasquent, réduisent, ils ne remarquent pas pour autant que le contenu du démasqué se dissout. Pour le philosophe hypocrite des Lumières, le pouvoir est toujours abus de pouvoir. Que le pouvoir inspire le puissant, il l'ignore. Dans la perspective du rentier politique, le pouvoir se mue en violence. Pour le philosophe des Lumières, il allait de soi qu'un bon monarque était pire qu'un monarque méchant, parce qu'il empêchait la créature humiliée de percer à jour la sottise du principe absolutiste. Les philosophes des Lumières réduisaient le roi à la condition d'homme, et en tant qu'homme il ne peut être qu'un usurpateur »[17].

Le critique *absolutiste* des Lumières ne possède pas, dans son patrimoine génétique, les ressources mentales qui lui permettraient d'apercevoir la chose politique. Ce critique est né de la division entre les affaires politiques, réservées au Prince, et les affaires morales, qui relèvent de la conscience personnelle. Lorsque le critique veut porter des jugements politiques, il n'exprime qu'un point de vue moral. Lorsqu'il moralise, il reste indifférent aux conséquences politiques de ses engagements. Quand les philosophes des Lumières envisagent l'éventualité d'une révolution, c'est encore et toujours d'un point de vue moral. Comme l'écrit Koselleck :

« La pensée ne s'attache plus à l'antithèse politique de l'Etat et de la guerre civile, mais à l'antithèse morale de l'esclavage et de la révolution. La teneur générale des Lumières est la suivante : les révolutions sont nécessaires ; si elles n'ont pas lieu, c'est la faute du peuple ; mais si elles ont lieu — c'est l'envers de la dichotomie morale —, c'est la faute du prince »[18].

La leçon à tirer n'est pas, on s'en doute, que les Philosophes ou les intellectuels ne devraient pas se mêler de politique puisqu'ils

17. *Op. cit.*, pp. 100-101.
18. *Op. cit.*, p. 175.

n'y entendent rien. Elle est qu'ils ont tort de vouloir porter des jugements politiques sur un mode si peu politique. Il est déplorable que des philosophes affectent de juger des événements du fond de la salle, comme s'ils n'étaient pas, avec tout le monde, sur la scène. Il y a sans doute une morale de l'universel, mais il n'y a pas de politique de l'universel. Ce qui n'est pas possible, c'est d'annoncer que *tout est politique* — assertion outrancière, qui sent son néophyte — au moment où l'on refuse d'indiquer à quel « ensemble » on se rattache et devant quelle « grande nécessité » on s'incline.

Raymond Aron raconte qu'il a compris un jour cette maxime importante : « Le problème politique n'est pas un problème moral » [19]. C'est qu'il lui est arrivé qu'un sous-secrétaire d'Etat aux Affaires étrangères l'a reçu en 1932, alors qu'il n'était qu'un jeune agrégé plein d'idées sur la situation de l'Allemagne. « Le ministre m'invita à parler et je lui tins un laïus, brillant je suppose, dans le plus pur style normalien. » Le sous-secrétaire lui répondit alors : votre méditation est très enrichissante, mais que feriez-vous si vous étiez à la place du président du Conseil (le président Herriot) ? C'était poser la bonne question : Que feriez-vous si vous étiez à la place du ministre ? Non que toute réflexion doive se faire en se mettant à la place du ministre. Il faut pourtant qu'elle se fasse en se mettant à une place quelconque à l'intérieur d'un « ensemble » qui porte avec soi ses « grandes nécessités ». Si ce n'est pas à la place du ministre, ce sera à la place de celui qui fait et défait les ministres, ou bien à la place de ceux qui tiennent tête aux ministres, etc. *Que feriez-vous à ma place ?* demande le ministre. Le sujet du monarque absolu n'imaginait pas qu'il puisse avoir un avis à donner sur les affaires de l'Etat. Plus tard, à la faveur d'une longue paix civile, ce sujet devenu *critique* estime qu'il a droit de regard sur toute chose. Mais c'est en tant qu'être pensant, non en tant que citoyen. Pas plus qu'avant le sujet n'imagine qu'il puisse envisager la situation d'un point de vue politique (c'est-à-dire, pour figurer la chose d'une façon brève et stendhalienne, « à la place du ministre »). Ce point de vue est pour lui illégitime, quiconque décide quoi que ce soit exerce un pouvoir qu'il a usurpé.

Le syndrome d'une politique vidée de tout contenu politique

---

19. Raymond Aron, *Mémoires,* Paris, Julliard, 1983, p. 78.

réapparaît chaque fois qu'on cherche à définir le programme (toujours « minimum ») d'une politique des intellectuels ou d'une politique de la philosophie. Ce programme se réduit à s'enfermer dans une éthique de la conviction soigneusement détachée d'une éthique de la responsabilité[20]. En pratique, il s'agit d'organiser les déplacements de la *mauvaise conscience*. C'est avec mauvaise conscience qu'on obéit au monarque : car il ne devrait pas y avoir de monarque. C'est aussi avec mauvaise conscience qu'on se souvient d'avoir décapité le monarque : car ce monarque, après tout, était un doux despote, et ses « crimes » paraissent bénins quand on les compare aux prouesses patriotiques de ses successeurs.

Mais il faut finalement souligner que Kant, contrairement à ce qu'on nous suggère, ne se laisse nullement enrôler dans un parti des philosophes-spectateurs. Car, si le texte de la deuxième section du *Conflit des facultés* est consacré à une question sans incidence politique immédiate, cela ne veut pas dire que le point de vue proprement politique n'y soit pas représenté en passant. Si l'on veut chercher dans ce texte les éléments d'une philosophie du jugement politique, on les y trouvera, à condition bien sûr de s'occuper du public européen comme acteur et non plus comme spectateur.

On notera d'abord ceci : ce qui est surtout clair selon Kant n'est pas tant le droit qu'a un peuple de se donner une constitution républicaine que le droit qu'a tout peuple « de ne pas être empêché par d'autres puissances de se donner une constitution politique à son gré »[21]. Le premier droit à mentionner ici est donc le droit qu'a un peuple envers d'autres sujets de droit, à savoir, les autres peuples. Nous savons donc déjà, d'un savoir plus « réfléchissant » que « déterminant », qui est un peuple et qui ne l'est pas. Nous savons si les Français sont un peuple. Nous savons si les Savoyards sont le même peuple que les Franc-Comtois. Nous savons si les Piémontais sont un peuple, et s'ils forment un seul peuple avec les Toscans.

---

20. L'opposition que fait Max Weber entre ces deux éthiques est philosophiquement inadmissible : Que sont des convictions indifférentes aux conséquences des actes qu'elles inspirent ? Comment apprécier les responsabilités de chacun si on est dénué de convictions ? Pourtant, cette opposition est sociologiquement pertinente, en ceci qu'elle fixe remarquablement un conflit qui est présent dans la conscience moderne.

21. *La philosophie de l'histoire,* p. 171.

Et si nous l'ignorons, nous ne pouvons rien dire de la Cause du Peuple.

En second lieu, le juriste pourrait nous rappeler ici qu'un droit ne peut pas être défini à l'état isolé. Le droit cité tout à l'heure fait allusion à l'éventualité d'une intrusion des autres peuples dans le gouvernement du peuple qui réclame ce droit. Si tel est l'état constant des rapports entre les puissances, il en résulte manifestement un autre droit du peuple, qu'il convient de concilier avec le premier : un peuple a droit à des institutions politiques assurant sa sécurité et son existence dans les circonstances locales qui sont les siennes. Un peuple attend légitimement que ses dirigeants aient la stature de chefs d'Etat (qu'ils veillent aux « grandes nécessités de l'ensemble »).

C'est pourquoi l'exercice du jugement politique est à chercher, dans le traité de Kant qui nous occupe, non dans le corps du texte qui répond à d'autres questions, mais par exemple dans la note qui dit ceci :

> « On ne veut pas dire pour autant qu'un peuple qui a une constitution monarchique doive pour cela s'arroger le droit ni même nourrir en soi le secret désir de la voir modifier ; car il se peut que la position très étendue occupée par lui en Europe lui recommande cette constitution comme la seule qui lui permette de se maintenir au milieu de voisins puissants » [22].

On voit ici le seuil où le jugement doit devenir politique. Un peuple peut exiger que son indépendance soit respectée. Il peut l'exiger veut dire qu'il peut l'exiger *de ses voisins,* s'il parvient à se faire respecter d'eux. Mais il n'existe aucun tribunal suprême, aucune conscience universelle, auprès desquels un peuple pourrait exiger de ne pas être toujours entouré par de puissants voisins.

Que serait donc une philosophie de l'*événement* de la Révolution française ? Nous savons bien ce que serait une discussion des idées de la Révolution. Elle tiendrait dans un examen de principes tels que ceux des droits de l'homme, de la souveraineté populaire, de la démocratie représentative, etc. Le travail porterait pour l'essentiel sur des textes. Mais alors, qu'est-ce qui serait changé dans notre travail si ces textes étaient de pures spéculations, si la Révolution n'avait jamais eu lieu ? La Révolution réduite à des idées, la Révolution *en principe,*

---

22. *Op. cit.,* p. 190, n. 2.

c'est la conception philosophiste de l'événement. Qu'il y ait la Révolution veut dire que les idées sont maintenant des motifs pour des actions et des *attendus* pour des décisions ou des jugements révolutionnaires. Il est alors tentant d'échanger cette affaire bruyante contre un sujet plus civilisé : *les Lumières*. A son tour, le sujet des Lumières peut paraître trop varié et déjà discordant : il y a les Lumières anglaises et écossaises, les Lumières françaises, l'*Aufklärung*. Bientôt, les auteurs français eux-mêmes utilisent le terme allemand, lequel a l'avantage d'offrir une notion mieux définie, mieux articulée, donc mieux protégée contre les infortunes historiques. Quant à l'*Aufklärung,* elle a eu la bonté de faciliter notre travail en proposant d'elle-même sa propre définition. L'*Aufklärung* sera ce qu'en dit Kant dans son célèbre texte *Was ist Aufklärung ?* Rien ne nous retient plus de pratiquer la philosophie de la modernité sous la forme de l'explication de texte.

Il est vrai d'ailleurs que chacun de ces échanges d'un objet plus difficile à traiter contre une portion plus calme de cet objet n'est pas sans justification. La transformation de l'Europe au XVIIIe siècle est d'abord un changement dans les représentations et les idéaux. Qui plus est, il est possible de dire que l'*Aufklärung* doit être privilégiée : les *Aufklärer,* parce qu'ils sont plus proches du monde traditionnel, vont plus loin que l'*Enlightenment* ou que les *Lumières* dans la *mise au clair* explicite, articulée, raisonnée, des nouveaux principes. Enfin, le texte de Kant a une importance évidente et doit être pris en considération dans tout essai de rendre compte de l'époque. Reste qu'on a, dans ces différents échanges, purifié l'objet dont on veut traiter. On était parti d'une explosion historique à l'échelle européenne, on finit par un exposé de la philosophie kantienne. Or il est naturel qu'un auteur écrivant en langue allemande et traitant la chose du point de vue de l'histoire allemande écrive « *Aufklärung* ». Je veux dire par là, non pas simplement que c'est le mot allemand, mais que c'est la chose *Aufklärung* qui figure dans son héritage : à savoir, les Lumières *sans* la Révolution chez soi. En revanche, ces auteurs qui, écrivant en langue française, préfèrent employer le mot allemand plutôt que le mot français, quelle raison les y pousse quand rien, historiquement, n'autorise à faire dépendre les Lumières françaises de l'*Aufklärung* allemande ? Et s'ils veulent signifier que les Lumières sont, historiquement, un phénomène européen, que ne disent-ils plutôt *Enlightenment* ? On ne peut se défendre du soupçon qu'il règne ici une intention de *pasteuriser* l'époque et de ne l'envisager que sous son visage aimable. Il y a quelque chose de superficiel dans une trop rapide « élévation » du *temps* au *concept*.

Une philosophie de la Révolution française devrait se garder d'user des procédés philosophistes. Une telle philosophie ne consisterait pas à raconter une deuxième fois le cours des événements. Elle ne doublerait pas le récit terre à terre des historiens par un récit d'événements plus exaltants pour l'esprit. La philosophie de la Révolution française donne les raisons philosophiques, s'il y en a, de préférer une version historique de l'événement à une autre. Pourquoi certaines reconstructions de l'événement sont-elles préférables à d'autres ? C'est en partie un point de fait, à décider par un travail dans les archives, et en partie un point de philosophie, puisqu'il faut peser l'importance respective des « facteurs » : les idées, les institutions, les intérêts, etc. Or la définition même de ce qui est un facteur — politique, religion, etc. — engage toute une philosophie.

En somme, la philosophie de l'actualité historique n'est pas d'écrire un journal philosophique du cours des choses, elle est de nous préparer à mieux juger de ce que rapporte l'unique journal, le même pour tous, en nous aidant à corriger l'appareil des concepts dont nous usons pour comprendre, en chaque circonstance, ce qui est en train d'arriver.

3. LE BEAU MODERNE

> « Ce ne sont ni les sujets ni les couleurs qui
> manquent aux épopées. Celui-là sera le *pein-*
> *tre,* le vrai peintre, qui saura arracher à la vie
> actuelle son côté épique, et nous faire voir et
> comprendre, avec de la couleur ou du dessin,
> combien nous sommes grands et poétiques
> dans nos cravates et nos bottes vernies. »
>
> BAUDELAIRE, *Salon de 1845*

Jürgen Habermas a récemment repris la question d'un
« discours philosophique de la modernité » [1]. Cette question,
telle qu'il l'entend dans le livre qu'il a publié sous ce titre, ne
porte pas tant sur ce que les Modernes ont dit en philosophie
que sur ce qu'ils ont dit d'eux-mêmes. Habermas ne doute pas
un instant que ce qu'ils ont dit de plus important sur eux-
mêmes, ils l'ont dit dans des pages de philosophie.

Habermas commence son livre par une citation de Max Weber.
Dans toute son œuvre, Weber a posé cette question : Pourquoi
le procès de *rationalisation,* qui est pour lui le trait propre des
temps modernes, ne s'est-il produit qu'en Occident, et non pas
par exemple en Chine ? Par « procès de rationalisation », il faut
entendre le procès du désenchantement (*Entzauberung*) de
l'image du monde. Mais, cinq pages plus loin dans le livre,
Habermas échange la référence à Weber contre une référence
à Hegel. Nous sommes invités à retrouver, dans la « rationalisation » dont parle le sociologue des religions, la raison du
philosophe. Habermas explique ainsi ce déplacement :

> « Hegel est le premier philosophe qui ait développé un
> concept clair du moderne ; c'est à Hegel que nous devons
> revenir, si nous voulons comprendre la relation *interne* qui lie
> modernité et rationalité, une relation qui, jusqu'à Max Weber,
> allait de soi et qui est aujourd'hui mise en question » [2].

---

1. *Der philosophische Diskurs der Moderne,* Francfort, Suhrkamp, 1985. Traduction
française par C. Bouchindhomme et R. Rochlitz, chez Gallimard. Je me réfère à
l'original allemand.
2. *Ibid.,* p. 13.

51

Habermas ne se demande pas si le sociologue n'est pas mieux placé que le philosophe pour parler de ce qui est proprement moderne.

A l'époque de Max Weber, nous explique Habermas, la chose allait encore de soi : la vie est d'autant plus moderne qu'elle est davantage soumise à des normes rationnelles. Aujourd'hui, on remet en question le bien-fondé en rationalité du « projet moderne »[3]. Ce projet est contesté, non dans les insuffisances de sa mise en œuvre, mais dans sa conception même. Les héritiers du projet moderne étaient habitués à être attaqués, sur leur droite, par la vieille école anti-moderne, le parti de la Contre-révolution. Aujourd'hui, ils se voient débordés sur leur gauche par un courant critique, une sorte d'ultra-gauche qui s'en prend, elle aussi, aux idéaux modernes. Ses représentants sont les lecteurs de Nietzsche et de Heidegger, particulièrement leurs disciples français. Habermas se propose de montrer que ces derniers sont moins radicaux, moins *avancés* qu'ils ne le voudraient. Le « post-moderne », selon Habermas, ne fait que reproduire le point de vue « anti-moderne ». Ce qui se donne pour une *Nachaufklärung* perpétue la tradition de la *Gegenaufklärung*[4].

Habermas résume en quatre points le signalement hégélien de ce qui est *moderne*[5] :

1) l'*individualisme* des mœurs ;

2) le *droit de critique,* ou liberté de conscience ;

3) l'*autonomie de la conduite* (qui je suis dépend de ce que je fais et non de qui ont été mes ancêtres) ;

4) la *philosophie idéaliste.*

Ce dernier point est le plus directement problématique. Selon d'autres vues, la philosophie proprement moderne est l'*empirisme,* le rejet de toute autorité étrangère. Ou bien c'est le *positivisme,* la décision de séparer les faits d'avec nos attitudes envers ces faits. Ou bien c'est le *pragmatisme,* l'idée qu'il n'est pas nécessaire, contrairement à ce que croyait l'ancienne philosophie, d'ancrer nos jugements sur un point fixe ou un fondement ultime. Ou bien encore ce peut être l'*existentialisme,* ce que dirait sans doute Max Weber lui-même : à savoir la

---

3. Voir l'article de J. Habermas « La modernité : un projet inachevé », tr. G. Raulet, *Critique,* 1981, n° 413, pp. 950-967.

4. *Der Diskurs, op. cit.,* p. 13.

5. *Ibid.,* p. 27.

« découverte » moderne que toutes nos vérités et tous nos principes reposent sur un choix personnel radical, et par là injustifiable.

Un auteur de formation strictement française, si on lui demandait quel philosophe a le premier pensé le principe historique des temps modernes, répondrait sans doute que c'est Condorcet (puis, à sa suite, son disciple Auguste Comte). Que Hegel doive être tenu pour le philosophe qui a élevé au concept l'époque moderne, les Français ne l'apprendront que tardivement de Kojève et des émigrés allemands des années 30. Que Hegel supplante Condorcet, que la « raison dialectique » dépasse la « raison analytique », cela voudra dire en clair : la société née de la révolution russe est plus avancée que celles qui se gouvernent selon les principes de la démocratie libérale (et qui, dans la légende publique française, sont nées de notre Révolution).

Habermas ne s'avise pas qu'il donne la parole à une tradition nationale particulière quand il hégélianise de façon si décidée. Un sociologue aurait plus facilement reconnu que la conscience philosophique du fait moderne avait trouvé différentes expressions selon les cultures nationales. Habermas ne paraît pas voir que son « projet moderne » n'est qu'une chimère si on ne lui donne pas un sujet historique. Or le support empirique de l'« idée » n'est pas l'espèce humaine ou tel penseur, mais le système formé par les sociétés *distinctes* dont les interactions composent ce qui nous apparaît comme un processus unique à l'échelle de l'Occident. Le philosophe n'hésite pas à parler au singulier du projet moderne de rationalisation. Du point de vue d'une analyse sociologique, la dynamique qui constitue pour nous le procès de modernisation du monde est la résultante d'un jeu complexe d'échange entre des sociétés porteuses de cultures distinctes [6].

Mais les difficultés du lecteur français commencent avec le titre même du livre de Habermas, en allemand : *Der philosophische Diskurs der Moderne.* Pour traduire l'allemand *die Moderne,* le mot « modernité » est la juste traduction, car les philologues nous disent que ce mot allemand a été en vogue à la fin du XIXe siècle justement pour répondre à la modernité

---

6. Voir : Louis Dumont, « Identités collectives et idéologie universaliste : leur interaction de fait », *Critique,* mai 1985, n° 456, pp. 506-518.

dont avait parlé Baudelaire[7]. Or nous entendons par modernité, à la suite de Baudelaire, une inspiration opposée à l'académisme perpétuant le canon classique. C'est pourquoi Baudelaire s'est demandé : Qui sera le peintre de la vie moderne ? Habermas, lui, se demande : Qui en est le penseur ? Il répond : Hegel. Pour nous, cette réponse est impossible. Il est concevable que Hegel ait exprimé dans sa philosophie de l'histoire le principe des Temps modernes (*die Neuzeit*). Mais il est impossible de lui attribuer le pressentiment d'une modernité que Baudelaire ira chercher chez Stendhal, chez Balzac et généralement dans la peinture des mœurs de la Monarchie de juillet et du second Empire.

Pour exprimer ce point conceptuel en termes de grammaire logique, on peut dire que Habermas fait du substantif « la modernité » la désignation d'une propriété caractéristique. La modernité est pour lui cela en vertu de quoi un esprit moderne est moderne, une œuvre moderne est moderne, les temps modernes sont modernes. Autrement dit, la modernité est cette caractéristique qui nous permet d'assigner quelque chose à l'époque moderne plutôt qu'à une autre. Ceci veut dire que le mot « modernité » est à l'adjectif « moderne » comme le substantif « humidité » à l'adjectif « humide », ou le mot « élasticité » à l'adjectif « élastique ». *Il y a une propriété de modernité.* C'est pourquoi Habermas peut rassembler sous l'unique bannière de la Modernité toutes les étapes constituant, selon la chronologie la plus acceptée, les temps modernes :

1) les manifestations d'une nouvelle manière de penser dans les sciences, dans les arts, dans le droit, dans la politique (elles marquent, à la Renaissance et au XVIIᵉ siècle, le début des temps modernes) ;

2) les idées et les rêves des esprits éclairés au XVIIIᵉ siècle, qui forment ensemble ce que Habermas appelle avec bonheur le « projet moderne » (siècle des Lumières ou de l'*Aufklärung*) ;

3) les philosophies contemporaines de la Révolution française, c'est-à-dire d'un incident que tout le monde a considéré à l'époque comme la mise à l'épreuve de ce projet moderne (idéalisme allemand) ;

---

7. Voir l'étude de H.R. Jauss, « La modernité dans la tradition littéraire et la conscience d'aujourd'hui », tr. par C. Maillard dans : *Pour une esthétique de la réception*, Paris, Gallimard, 1978, pp. 158-159.

4) enfin la *modernité* au sens de Baudelaire, que Habermas range trop précipitamment dans la sphère esthétique.

Malheureusement, Habermas, qui lit Baudelaire en suivant l'interprétation de Walter Benjamin, ne prend pas assez au sérieux la pensée baudelairienne de la modernité[8]. On se tromperait si l'on voyait ici un point de détail. Toute conception d'ensemble de la modernité doit pouvoir loger quelque part, non seulement les images du poète, mais les idées du critique. Habermas se contente d'une lecture *esthétique* de Baudelaire : il croit qu'on peut philosophiquement comprendre Baudelaire par Kant. C'est pourquoi il manque, je crois, la modernité selon Baudelaire, signe qu'il a manqué aussi quelque chose de la modernité tout court.

Une modernité artistique qu'on pourrait localiser comme une revendication limitée à la sphère esthétique serait une version du Romantisme, au sens habituel du mot. Habermas distingue en effet autant de sphères pour les activités humaines gouvernées par des règles instituées dans la culture, qu'il y a de types de législation rationnelle chez Kant. On remarquera cette réduction *en principe* de la culture à la philosophie : voilà bien le philosophisme ! On sait qu'il y a pour Kant une première législation rationnelle pour la construction d'explications valides des phénomènes naturels. Par exemple, selon Kant, nous savons d'avance, d'un savoir rationnel, que ces phénomènes ne sont ni miraculeux ni fortuits. Il y a une autre législation rationnelle pour nos décisions pratiques (il ne faut traiter ni les personnes comme des choses, ni les choses comme des personnes). Il y a enfin une troisième législation rationnelle pour l'expression de nos jugements esthétiques : elle nous garantit qu'une satisfaction authentiquement esthétique est communicable à autrui, bien qu'elle soit subjective. Cette organisation de la « rationalité moderne » est d'ailleurs l'organisation de la rationalité *comme telle* pour ceux qui estiment disposer d'un « argument transcendental » pour en prouver la nécessité. Un tel argument montre comment n'importe quel être qui se veut raisonnable

---

8. Benjamin partage ici l'avis de Gide : « Vouloir juger de la force de la pensée de Baudelaire à partir de ses digressions philosophiques serait une grande erreur » (*Zentralpark*, tr. J. Lacoste dans : *Charles Baudelaire, un poète moderne à l'apogée du capitalisme,* Paris, Payot, 1982, p. 226). A titre de correctif, on pourra lire le livre de P. Pachet : *Le premier venu, essai sur la politique de Baudelaire,* Paris, Denoël, 1976.

doit (logiquement) reconnaître l'autonomie des trois sphères et la législation propre à chacune d'elles.

A l'intérieur de la rationalité moderne, il est permis d'exalter l'autonomie du point de vue esthétique, à condition de restreindre la revendication à la sphère esthétique. En revanche, il est illégitime de prétendre soumettre l'éthique ou le scientifique à l'esthétique. Dans cette vision des choses, le *Romantisme* représente la découverte et l'affirmation passionnée de l'autonomie esthétique du sujet : l'artiste génial est supérieur aux règles, la subjectivité excentrique est supérieure aux bienséances. Au sein du romantisme européen, Baudelaire est cité pour avoir mis en valeur les possibilités de provocation esthétique : l'instant, le passager, l'excitant, le *bizarre*[9].

C'est d'ailleurs sur le terrain esthétique que s'est constituée la conscience que les Modernes ont d'être modernes. Habermas y insiste, et trouve ici, dans la *querelle des Anciens et des Modernes,* le moyen d'introduire son concept philosophique de la raison moderne comme raison fondée sur elle-même. Il écrit :

> « Le problème d'une fondation du Moderne à partir de lui-même vient d'abord à la conscience dans le domaine de la critique esthétique. C'est ce qu'on remarque en suivant l'expression "moderne" dans l'histoire des idées. L'abandon progressif du modèle antique a été introduit au début du XVIIIe siècle par la fameuse querelle des Anciens et des Modernes. Le parti des Modernes s'élève contre la compréhension de soi du classicisme français, dans la mesure où il assimile le concept aristotélicien de perfection à celui de progrès, ce dernier étant suggéré par la science naturelle moderne »[10].

Ce qui est proprement moderne, selon Habermas, est de chercher à développer les modèles et les règles de succès à partir de soi-même au lieu de les recevoir passivement d'une autorité traditionnelle. Dans cette interprétation, le parti des Anciens incarne une raison hétéronome, tandis que le parti des Modernes exprime le point de vue nouveau (« moderne ») de la raison autonome.

Et c'est aussi sur le terrain esthétique que va surgir l'*avant-garde* anti-moderne, dans une transformation du romantisme en

---

9. Habermas résume cette lecture de Baudelaire, en effet la plus fréquente, dans son *Diskurs, op. cit.,* pp. 17-21.

10. *Op. cit.,* pp. 16-17.

nihilisme que dénonce Habermas. Déjà le romantisme allemand attendait le retour de Dionysos. Mais il n'en maintenait pas moins l'unité de la poésie et de la philosophie, l'équivalence supérieure du mythe exaltant et de la raison émancipatrice. Le nihilisme rompt cette unité : Dionysos doit revenir, avec le mythe, pour nous libérer de Socrate et de sa tyrannie de la raison.

Dans ce contexte, Habermas est amené à citer l'étonnant texte de 1796 connu sous la désignation : « le plus ancien programme systématique de l'idéalisme allemand ». Ce texte, copié par Hegel, serait en réalité de Schelling, qui l'aurait écrit sous l'influence de Hölderlin. Comme le note Habermas, il maintient l'unité de la raison, puisqu'il réconcilie les transcendentaux : le bien et le vrai s'unissent dans le beau.

> « Car je suis convaincu que l'acte suprême de la raison, celui par lequel elle embrasse toutes les idées, est un acte *esthétique,* et que *vérité et bonté ne sont sœurs qu'unies dans la beauté* — le philosophe doit avoir autant de force esthétique que le poète » [11].

Le texte conclut à la nécessité de présenter la philosophie esthétique dans une « mythologie de la raison » pour rendre possible une pleine égalité de tous les individus dans une libre communauté.

> « (...) Nous devons avoir une nouvelle mythologie, mais cette mythologie doit être au service des Idées, elle doit devenir une mythologie de la *raison.*
> Les Idées, avant que nous les ayons rendues esthétiques, c'est-à-dire mythologiques, n'ont aucun intérêt pour le *peuple* ; et inversement une mythologie, avant d'être rationnelle, est un objet de honte pour le philosophe. C'est ainsi que les hommes éclairés et ceux qui ne le sont pas doivent à la fin se tendre la main, la mythologie doit devenir philosophie pour rendre le peuple raisonnable, et la philosophie doit devenir mythologie afin de rendre les philosophes sensibles (...) Régneront alors la liberté et l'égalité universelle des esprits » [12].

Le mythe n'est pas ici la parole donnée à un Fond originel ou à un Autre de la raison. Il est la philosophie traduite en images

---

11. Je cite la traduction de ce texte par Ph. Lacoue-Labarthe et J.L. Nancy dans leur livre *L'absolu littéraire,* Paris, Seuil, 1978, p. 54.

12. *Ibid.*

que le peuple puisse entendre. L'unité rationnelle du beau, du bien et du vrai n'est pas encore perdue.

Oui, mais tout le problème d'une philosophie de la « modernité » est peut-être celui-ci : Est-ce que le *beau moderne* est un beau séparé du vrai et du bien, ou bien est-ce qu'il leur est associé par un lien rationnel ? Selon Habermas, l'erreur de Nietzsche et de sa descendance est de pousser l'autonomie moderne du beau jusqu'à la séparation. Nietzsche fait du goût l'organe d'une connaissance supérieure, au-delà du bien et du mal comme au-delà de la vérité et de l'erreur au sens habituel. Or l'autonomie de l'expérience esthétique est une chose typiquement moderne. Nietzsche ne s'avise pas qu'en fait il projette une expérience qui n'est possible qu'aujourd'hui dans un passé archaïque [13].

Mais ici Habermas manque le point capital : la modernité telle qu'on l'entend avec Baudelaire se moque de l'*école païenne*. Elle n'a que faire des Grecs et des Romains : « et le bouillant Achille, et le prudent Ulysse, et la sage Pénélope, et Télémaque, ce grand dadais, et la belle Hélène, qui perdit Troie, et la brûlante Sapho, cette patronne des hystériques... » [14]. La modernité baudelairienne ignore la nostalgie de Dionysos ou l'attente du Dieu-qui-doit-venir. Elle ne souffre pas du « défaut des noms divins ». Elle sait en effet que nous ne manquons nullement de mythes ou de légendes, que nous avons notre beauté et notre héroïsme. A cet égard, il n'est pas sûr que Nietzsche puisse être intégralement rattaché à la lignée romantique. Il y a chez Nietzsche toute une critique du romantisme comme faiblesse de la tête *et* du cœur. Du reste, les livres de Clément Rosset sont là pour attester qu'une inspiration nietzschéenne n'est pas incompatible avec la gaieté moderne ou *parisienne* d'Offenbach [15].

Or c'est toute une conception excessivement littéraire du mythe comme récit merveilleux, ou comme *don du poème* que fait à son peuple le poète, qu'il convient ici de mettre en cause.

---

13. Habermas, *Der Diskurs, op. cit.*, p. 119.

14. « L'école païenne », p. 300. Je cite Baudelaire dans l'édition de M.A. Ruff, collection « L'intégrale », Paris, Seuil, 1968.

15. *L'anti-nature*, Paris, P.U.F., 1973, pp. 120-123. Selon Rosset, la gaieté d'Offenbach est remarquable en ceci qu'elle exprime cette pensée : La vie doit être approuvée, non pour la raison qu'elle serait belle, mais parce que, même fausse, elle est la vie. Nietzsche, dans des fragments de 1887-88, fait l'éloge de l'esprit libre d'Offenbach et oppose sa vivacité musicale à la lourdeur (Nietzsche *dixit*) de Wagner.

Dans un pénétrant article qui porte sur « le mythe au XVIIIe siè-cle » [16], Jean Starobinski a montré quel passé littéraire avait préparé l'attente romantique d'un Mythe anthropogonique. Sa démonstration nous oblige justement à rejeter la version que donne Habermas de la querelle des Anciens et des Modernes. Quel est en effet le statut des mythes antiques à l'âge classique ? Il faut ici distinguer la fable et la mythologie. La *fable* est un ensemble de notions sur les divinités du paganisme, formant le « patrimoine des arts ». Ce trésor commun d'histoires, d'images et de motifs est utilisé par l'ensemble des arts. De son côté, la *mythologie* est un savoir développé par les érudits : il mêle la connaissance historique des sources (littéraires le plus souvent) des fables théologiques anciennes à des hypothèses sur l'origine de ces fables. Quelle est maintenant la place de la *fable* dans la culture classique ? Elle en occupe le pôle profane, tandis que la *vraie religion* en définit le pôle sacré. Le point décisif est qu'au XVIIe siècle on dise la fable et non, comme nous faisons, le mythe. Le mot « fable » dénonce aussitôt le caractère fictif de ce qu'il désigne. Ainsi, la culture classique permet aux hommes de l'âge classique de pratiquer une fausse religion à côté de la vraie, à la condition qu'ils n'y croient pas. Cet ordre de la culture est hiérarchique : il n'y a bien entendu qu'une religion qui soit vraiment religion, c'est le monothéisme biblique. Pourtant, le christianisme de la Contre-Réforme accorde une place (inférieure) à l'univers des pulsions polythéistes. « Par son absence avouée de valeur de vérité, la fable est l'indice même de la futilité de l'existence humaine » [17]. Les désirs coupables de plaisir, de pouvoir ou de gloire ne sont pas déniés. Ils sont avoués et rendus légers par les figures ouvertement fictives dans lesquelles ils paraissent. A son apogée, la culture classique connaît un double régime de la fête :

> « La fiction mythologique rend possible l'hyperbole louan-geuse, qui n'eût pas été prononçable dans le cadre de la règle chrétienne. Pour une bataille gagnée, la fête chrétienne culmine dans l'adoration du Dieu des armées : *Te Deum laudamus...* Mais la fête chrétienne se double d'une fête profane, donc *mythologique,* qui exalte le prince lui-même : il est comparé à Mars ou à Hercule (...) Cette divinisation "à blanc" permet

---

16. Article paru dans *Critique,* 1977, no 366, pp. 975-997.
17. *Ibid.,* p. 980.

l'essor des énergies célébrantes : celles-ci, bien que captives du modèle gréco-latin, se voient permettre toutes les outrances, puisqu'elles ne prétendent pas à autre chose qu'au simulacre. Le roi-soleil peut danser dans le costume d'Apollon. Jupiter peut descendre du ciel, dans une machine d'opéra, pour annoncer aux siècles futurs une illustre lignée de souverains » [18].

Il me semble qu'on retrouve un écho de cette fiction de culte qui frise toujours le culte des fictions dans l'aphorisme de Baudelaire : « Glorifier le culte des images (ma grande, mon unique, ma primitive passion) » [19]. Etonnante notion que celle d'une gloire rendue à un culte, quand tout culte est lui-même le fait d'attester la gloire de ce qui en est digne. Ici, le culte des images est autorisé, à condition qu'il soit entendu que son objet est la divinité des images sans vérité, non une divinité que l'image sainte dériverait du fait d'être l'image véridique d'un être divin. Il est certain que du point de vue plus sévère d'une religion strictement biblique, l'art baroque ne peut manquer de passer pour idolâtre. On note d'ailleurs que, dans les pays catholiques, la solution du double culte est reproduite au sein de l'art sacré lui-même, qui s'ouvre à une figuration sensible, et parfois étonnamment sensuelle, du divin. Inversement, la spiritualité puritaine peut nourrir un iconoclasme.

Le fait remarquable est que l'invitation à trouver son sujet dans la fable antique n'est pas ressentie comme une contrainte par l'artiste. Elle est, du moins au début, un appui, une licence donnée à l'« assouvissement imaginaire » du désir, à condition que ce soit dans les formes de la mythologie classique et non dans celles d'une expression originale que l'artiste aurait lui-même produite.

Mais tout cela revient à dire que la culture classique a inventé l'autonomie de l'art. Elle a inventé une distinction, jamais pratiquée jusque-là à cette échelle, entre la sphère sacrée, soumise aux autorités religieuses gardiennes de la vérité, et la sphère profane où il est permis de se complaire dans le simulacre. Bref, c'est la culture classique qui est à l'origine de la notion foncièrement moderne de l'art comme libre jeu de l'imagination, comme cette part de l'existence humaine qui est vouée aux apparences brillantes, aux miroitements de la fiction, aux

---

18. *Ibid.*, p. 983.
19. *Mon cœur mis à nu*, n° 38 (feuillet 68).

déguisements qui rendent le désir aimable. Et, s'il en est ainsi, il faut renverser le jugement de Habermas sur la querelle des Anciens et des Modernes. Le parti le plus *moderniste,* ce n'est pas, comme il le croit, le parti du progrès, c'est le parti qui canonise les formes classiques. Il faut se souvenir ici que la querelle commence par une dispute sur les mérites respectifs du « merveilleux chrétien » et du « merveilleux païen ». Le parti des Modernes veut que notre art soit aussi véridique que notre religion. Il ne croit pas à la perfection antique. Il se montre ainsi en continuité avec la tradition d'innovation qui, de Renaissance carolingienne en Renaissance italienne, a caractérisé l'art d'Occident. La nouveauté est pourtant que la dernière de ces inventions se présente comme *renaissance,* comme retour à un modèle de perfection qu'on avait oublié pendant le « Moyen Age » obscur. Quant au parti des Anciens, il ne saurait être un parti traditionnel ou un parti de la tradition, puisqu'il n'y a justement aucune tradition de classicisme. L'*imitation des anciens* est un principe nouveau. L'invention d'un canon institue quelque chose comme l'*art,* un art émancipé à l'égard de la religion (à condition de se contenter d'une place subordonnée, celle du divertissement et de l'ornement). Grâce à la discipline de l'imitation des anciens, l'art se détache du souci de la vérité ultime, tout comme l'Etat, à la même époque, se détache du souci d'un souverain bien.

Cet équilibre classique du profane et du sacré va se défaire assez vite. Dès le milieu du XVIIIe siècle, le recours à la fable antique tourne à l'académisme. On pressent alors que la poésie fabuleuse est trop frivole. Elle manque d'un souffle sacré. Inversement, l'histoire critique de la mythologie attribue les fables à une imagination aiguillonnée par les passions primitives. Elle suggère que les mythes anciens sont des produits de l'esprit humain, des poésies auxquelles les premiers hommes devaient croire parce qu'ils étaient plus facilement crédules. Or cette complicité de la fable et de la poésie dessine d'avance le chemin que va emprunter la révolution poétique du romantisme. La défense de la poésie sera solidaire d'une réhabilitation du mythe. Ainsi s'explique la méprise des romantiques : ils attendent que les poètes instaurent une nouvelle mythologie. Les mêmes esprits qui se rebellent contre la convention de la fable n'en conçoivent pas moins le mythe futur sur le patron de la fable des classiques. Ce mythe, ce sera quelque grand poème

dans lequel l'époque reconnaîtra la vérité sensible qu'elle attendait. Starobinski conclut ainsi son étude :

> « Le mythe, qui au début du XVIIIᵉ siècle, était pur ornement
> *profane,* devient le *sacré* par excellence — ce qui impose par
> avance sa loi et décide des valeurs humaines en dernière ins-
> tance —, en tant qu'autorité ultime. (...) Pareil changement n'est
> que le corollaire d'un autre changement : ce qui était le *sacré,*
> au début du XVIIIᵉ siècle — révélation écrite, tradition, dogme —
> a été livré à la critique "démystifiante" : il a ainsi été réduit à
> n'être qu'œuvre humaine, imagination fabuleuse. (...) Le Mythe
> que l'on attend — et qui ne naîtra pas — est non plus théogonie,
> mais anthropogonie : il eût chanté, pour assembler les peuples,
> l'Homme-Dieu qui se produit lui-même par son chant, ou par
> l'ouvrage de ses mains. Mais, de ce Mythe inaccompli, toutes les
> mythologies du monde moderne sont les succédanés et la menue
> monnaie » [20].

Qu'en est-il alors d'un *beau moderne* ?

Il n'est pas difficile d'extraire de la critique de Baudelaire
nombre de déclarations en faveur de l'art pour l'art. Ces textes
viennent à l'appui de l'idée que la « raison moderne » entend
séparer les unes des autres nos raisons d'approuver quelque
chose ou de la condamner. Une chose peut être belle tout en
étant fausse ou mauvaise. Du reste, Baudelaire approuve explicitement la tripartition kantienne des jugements, qu'il reprend
à son compte en l'attribuant à Edgar Poe.

Mais comment se fait-il qu'on trouve les déclarations de
Baudelaire en ce sens dans un contexte violemment hostile à ce
qui se veut moderne ?

> « Des hérésies étranges se sont glissées dans la critique
> littéraire. Je ne sais quelle lourde nuée, venue de Genève, de
> Boston ou de l'enfer, a intercepté les beaux rayons du soleil de
> l'esthétique. La fameuse doctrine de l'indissolubilité du Beau,
> du Vrai et du Bien est une invention de la philosophaillerie
> moderne (étrange contagion, qui fait qu'en définissant la folie
> on en parle le jargon !) » [21].

Les mêmes notices de Baudelaire sur Edgar Poe qui dénoncent
l'« hérésie de l'enseignement » attribuent cette erreur à la
« philosophie du progrès ». Baudelaire y multiplie les sarcasmes

---

20. *Ibid.,* p. 997.
21. « Théophile Gautier », p. 461.

contre la démocratie (qui interdit « l'expansion des individualités »), « l'amour impie et la liberté », le « siècle infatué de lui-même », l'« américanisme » et l'« américomanie ». Il associe explicitement le culte du beau et la civilisation de l'Ancien Régime. Si le milieu social américain n'est pas favorable au poète, dit-il, c'est parce que l'Amérique manque d'un Etat, d'une capitale qui soit « son cerveau et son soleil », enfin d'une aristocratie [22]. Inversement, dès que Baudelaire, changeant de camp, veut s'en prendre à la « puérile utopie de l'*art pour l'art* » [23], il se contente d'inverser les vues précédentes. Par exemple, dans son attaque contre l'« école païenne », il condamne le « goût immodéré de la forme » [24], alors que, dans ses *Notes nouvelles sur Edgar Poe,* il louait chez le poète américain le « goût immodéré pour les belles formes » [25].

On notera qu'aucun des textes précédents ne suggère qu'il y ait une histoire du goût. Il en va évidemment autrement dans les textes qui s'occupent de la modernité. Ici, Baudelaire ne cache pas qu'il se range à l'avis de Stendhal :

> « Pour moi, le romantisme est l'expression la plus récente, la plus actuelle du beau.
>
> Il y a autant de beautés qu'il y a de manières habituelles de chercher le bonheur.
>
> La philosophie du progrès explique ceci clairement ; ainsi, comme il y a eu autant d'idéals qu'il y a eu pour les peuples de façons de comprendre la morale, l'amour, la religion, etc., le romantisme ne consistera pas dans une exécution parfaite, mais dans une conception analogue à la morale du siècle » [26].

La notion d'une beauté relative au temps vient à Baudelaire de la « philosophie du progrès », c'est-à-dire du courant de pensée déjà *sociologique* qui va de Montesquieu aux maîtres idéologues de Stendhal. De même qu'il n'y a pas un régime politique idéal pour tous les peuples, de même il n'y a pas une définition unique du beau. On doit à chaque fois considérer le climat et le tempérament, l'éducation et les mœurs. Faute d'une description sociologique d'un peuple, son goût reste inintelligible. Ainsi, la relativité du beau au temps qu'énonce la notion d'une

---

22. « Notes nouvelles sur Edgar Poe », p. 349.
23. « Pierre Dupont », p. 291.
24. « L'école païenne », p. 301.
25. *Op. cit.,* p. 353.
26. « Salon de 1846 », p. 230.

beauté moderne ne doit pas être comprise dans le sens du *topos* sur le charme du temps qui passe et ne reviendra pas. Le temps dont il s'agit est le *siècle*, l'*époque*, à chaque fois certaines mœurs et certaines passions. Baudelaire cite Stendhal : « La peinture n'est que de la morale construite » [27]. Cette morale n'est pas du tout l'éthique des obligations rationnelles, comme l'entendrait un kantien. Elle est la façon dont se pratique, à une certaine date, la chasse au bonheur.

Ici, une définition transcendantale du beau comme « exacte proportion » [28] ne suffit plus. La beauté s'entend dans un sens plus large, puisque les formes sont rapportées à un idéal moral de grandeur. La vie moderne a sa beauté parce qu'elle a son sens de la grandeur, son héroïsme. C'est dire que le romantisme dont parle ici Baudelaire est pris au sens actif et énergique de Stendhal.

Dans son *Histoire de la peinture en Italie,* Stendhal explique que le « beau antique » est surtout à chercher dans la statuaire. Il est l'idéalisation de la force guerrière et civique. Le héros antique est un athlète. Mais que ferait-on d'un athlète dans un salon d'aujourd'hui ? « Vous n'aimeriez pas, ce me semble, que votre ami fût un Milon de Crotone » [29]. La grâce antique, c'est ce que devient la force quand elle est contenue, maîtrisée, éduquée pour un emploi civique. Le beau selon les Anciens ne fait aucune place au *charme*, à la *sveltesse*, à la *vivacité*, à la *gaieté*, à l'*esprit*, au *bel air*, qui sont pour nous les ingrédients de la beauté. Là où les anciens voulaient voir paraître la force, nous attendons l'*élégance*. La raison en est que la force physique n'est plus aussi enviable depuis qu'on fait la guerre avec des armes à feu.

Stendhal pose alors ce principe :

> « Le beau moderne est fondé sur cette dissemblance générale qui sépare la vie de salon de la vie du forum.
>
> (...) Léonidas, qui est si grand lorsqu'il trace l'inscription : "Passant, va dire à Sparte..., etc.", pouvait être, et j'irai plus loin, était certainement un amant, un ami, un mari fort insipide » [30].

---

27. *Histoire de la peinture en Italie,* éd. de P. Arbelet, nouvelle éd. de V. Del Litto et E. Abranavel, Slatkine Reprints, Genève, 1986, t. II, p. 226.

28. « Edgar Poe, sa vie et ses œuvres », p. 338.

29. Stendhal, *op. cit.,* p. 116.

30. *Ibid.,* p. 138.

Sur ce point, Stendhal est clair : les mœurs modernes sont pacifiques. L'homme moderne est quelqu'un pour qui il ne devrait pas y avoir la guerre. Stendhal croit que la guerre totale est une chose du passé. En Grèce, il faut vaincre, ou bien la cité sera détruite, les hommes massacrés, les femmes emmenées en captivité. Sa « philosophie du progrès » lui impose de voir dans l'épisode des guerres napoléoniennes une rechute momentanée dans les mœurs antiques. Napoléon a eu le tort de déranger le repos des « bons Allemands » : « Ils ont fini par se révolter, et, guidés par la lance du Cosaque, ils sont venus nous donner un échantillon des guerres antiques »[31]. Stendhal veut dire par là qu'en temps normal les gens n'ont jamais l'occasion de voir la guerre ou de porter l'uniforme. Il est trop le disciple des Philosophes pour comprendre le sens de ses propres pérégrinations à travers l'Europe occupée par Napoléon. Pas plus qu'il n'a saisi comment les paysans espagnols avaient pu prendre les armes pour défendre leurs églises et leurs principes obscurantistes, Stendhal ne parvient à prévoir le visage guerrier et nationaliste du nouveau siècle.

Baudelaire a retenu l'opposition du *forum* et du *salon*. Ce qu'il appelle d'abord *romantisme,* et ensuite *modernité,* est d'abord un esprit d'émancipation envers les dogmes du jacobinisme artistique. L'« école républicaine et impériale » avait pratiqué le retour aux Anciens. Elle avait asservi la peinture à la statuaire. Baudelaire célèbre chez Delacroix (« le chef de l'école moderne »)[32], la libération de la peinture. Mais il est bien loin d'avoir une conception « formaliste » de la beauté picturale. Quand Baudelaire fait l'éloge posthume de Delacroix, il vante son usage du dessin et de la couleur. Par le *contour,* Delacroix exprime *le geste de l'homme, si violent soit-il.* Par la *couleur,* il rend l'*atmosphère du drame humain*[33]. Dans la même notice, Baudelaire rappelle que le père de Delacroix appartenait à cette « race d'hommes forts » qui ont d'abord été révolutionnaires, puis bonapartistes. Pour parler de la force de Delacroix, il emprunte un langage dont on use plus souvent pour décrire l'art militaire de Napoléon : le style de Delacroix, écrit-il, « c'est la concision et une espèce d'intensité sans ostentation, résultat habituel de la concentration de toutes les forces spirituelles vers

---

31. *Ibid.,* p. 134.
32. « Salon de 1846 », p. 232.
33. « L'œuvre et la vie d'Eugène Delacroix », p. 531.

un point donné »[34]. En somme, la conception baudelairienne du beau ne peut pas être tenue pour esthétique. Elle dérange la tripartition de la « rationalité moderne ». Ce n'est pas l'esthétique qui définit l'emploi du mot « beau », mais ce doit être la poétique, au sens d'une théorie du drame humain. C'est pourquoi il n'est pas indifférent que l'explication de la modernité soit donnée dans la critique d'art et non dans une philosophie de l'histoire. Car la critique de la peinture, telle que Baudelaire la pratique, est une critique morale. Le peintre des mœurs de la vie moderne est un peintre des mœurs modernes. La tâche du critique est alors celle qu'avait indiquée Stendhal : être attentif à la modernité, c'est suivre les métamorphoses de la *force*. Que devient la force humaine dans un milieu social modifié ? Le phénomène du *dandysme* intéresse Baudelaire parce qu'il participe d'une recherche de la grandeur. Pour lui, un *dandy* est un « Hercule sans emploi »[35], c'est-à-dire, si l'on suit la ligne de pensée de Stendhal, un héros moderne. Baudelaire avait d'ailleurs projeté d'écrire un essai sur « le dandysme dans les lettres » dont le titre aurait été : *Le dandysme littéraire, ou la grandeur sans convictions*[36].

Lorsque Baudelaire écrit sur la modernité, il adopte un mode de penser sociologique. Il dit, lui aussi, que toute époque est agitée par une « pensée philosophique ». Mais comment trouver cette pensée ? Il ne s'agit pas de chercher chez les philosophes la « raison fondée sur soi-même », mais de comparer des gravures de mode :

> « Si un homme impartial feuilletait une à une *toutes* les modes françaises depuis l'origine de la France jusqu'au jour présent, il n'y trouverait rien de choquant ni même de surprenant. Les transitions y seraient aussi abondamment ménagées que dans l'échelle du monde animal. (...) Et s'il ajoutait à la vignette qui représente chaque époque la pensée philosophique dont celle-ci était le plus occupée ou agitée, pensée dont la vignette suggère inévitablement le souvenir, il verrait quelle profonde harmonie régit tous les membres de l'histoire (...) »[37].

---

34. *Ibid.*, p. 535. On gardera à l'esprit le sens que Baudelaire attache à toute évocation de Napoléon : « Napoléon est un substantif qui signifie domination » (« L'esprit et le style de Villemain », p. 501).

35. « Le peintre de la vie moderne », p. 561.

36. Lettre de Baudelaire à Poulet-Malassis du 4 février 1860.

37. « Le peintre de la vie moderne », p. 547.

Les modes qui nous choquent ou nous paraissent ridicules quand nous les jugeons d'un point de vue *académique,* du point de vue d'un goût absolutisé, nous semblent charmantes si nous savons rétablir les *transitions.* L'œil académique voit partout ailleurs que chez lui des formes barbares. C'est qu'il ignore les transitions et ne se soucie pas de trouver les raisons locales des usages locaux. En revanche, le peintre de la vie moderne est un « homme du monde » :

> « *Homme du monde,* c'est-à-dire homme du monde entier, homme qui comprend le monde et les raisons mystérieuses et légitimes de tous ses usages »[38].

Il est permis de supposer que Baudelaire aurait vu dans le *projet moderne* dont parle Habermas un programme d'académisme généralisé. La *théorie critique* ne cesse d'opposer une raison active, éveillée, et une tradition passive, routinière. La théorie critique n'est pas dite « critique » parce qu'elle abonderait en conséquences critiques, mais parce qu'elle estime qu'une approche rationnelle des mœurs humaines consiste à les critiquer en leur appliquant les normes transcendantes que nous fournit notre raison. Pour le théoricien critique, les esprits humains doivent être libérés des erreurs qui les subjuguent encore. Pour lui, les croyances humaines sont pour la plupart des superstitions, les institutions sociales sont presque partout la fixation de distinctions arbitraires, les rapports humains ont été et sont encore trop souvent des rapports de domination. Baudelaire montre que la *raison tonnante* des révolutionnaires a son point aveugle. « La Révolution, par le sacrifice, confirme la superstition »[39]. Autrement dit, le Philosophe ne saurait donner la raison du rite spectaculaire de la guillotine par lequel s'accomplit la Révolution.

La philosophie baudelairienne de la modernité repose sur l'avis inverse : les usages bien établis ont leur légitimité, les croyances communément partagées ne sont pas sans raison d'être, les rapports humains ne sont jamais de simples rapports de force. C'est que Baudelaire se fait une autre idée de la justification rationnelle que les philosophes rationalistes. Il n'y a pas de place dans la théorie critique pour la notion des *raisons mystérieuses et légitimes de tous les usages.*

---

38. *Ibid.,* p. 551.
39. *Mon cœur mis à nu,* n° 6 (feuillet n° 10).

4. LA CRISE FRANÇAISE DES LUMIÈRES

Dans son *Discours philosophique de la modernité,* Habermas fait une critique sévère d'un courant de pensée française, auquel il donne le nom bizarre de « néo-structuralisme ». En fait, il en a à des auteurs tels que Bataille, Derrida et Foucault, qui appartiennent selon lui à une postérité française de Nietzsche. Pour situer ce courant au sein du discours des philosophes sur le moderne, Habermas trace un tableau des possibilités philosophiques ouvertes à l'esprit au moment de la mort de Hegel, et discerne une troisième descendance hégélienne, qui s'ajoute à l'école des vieux-hégéliens (de droite) et à celle des jeunes-hégéliens (de gauche). Les jeunes-hégéliens se veulent à l'avant-garde : ils attendent quelque chose du futur parce que, disent-ils, le réel d'aujourd'hui ne satisfait pas les exigences rationnelles des individus. Les vieux-hégéliens aperçoivent, eux aussi, les défauts du temps présent : la « société civile » est atomisée, l'existence est fragmentée, la conscience individuelle réclame d'être reconnue dans sa singularité. Pourtant, ils jugent que ces défauts sont l'inévitable contrepartie d'un accès de l'humanité à l'âge adulte. Ils attendent que l'Etat et la religion éduquent des individus encore trop attachés à l'« immédiat ». Pour eux, les justes exigences d'une conscience raisonnable sont déjà satisfaites. Enfin, un troisième courant se détache pour soutenir une position inattendue : le réel doit être critiqué, non point parce qu'il manquerait de rationalité, mais justement parce qu'il est trop rationnel. Habermas présente Nietzsche comme le fondateur d'une hérésie philosophique : le réel est le rationnel, le réel doit être dénoncé pour la « raison » qu'il est rationnel. Après quoi il n'est pas difficile de montrer qu'on ne peut pas à la fois critiquer (donner des raisons *contre*) et parler au nom d'autre chose que la raison.

Les hérésiarques nietzschéens formeraient un tiers parti : ni parti de l'*ordre,* ni parti du *mouvement.* Ce parti de l'*injustifiable* sera tour à tour dionysiaque, surréaliste, déconstructeur, post-moderne [1].

Le plus étonnant est que cette construction aventureuse n'est pas sans force quant aux auteurs français cités (je ne veux pas parler ici de Nietzsche, qui me paraît avoir été quelque peu maltraité par Habermas). La raison en est manifestement que la philosophie française (il vaudrait mieux dire, peut-être : les jeunes philosophes et les intellectuels fréquentant les cercles parisiens d'avant-garde) a subi une forte inoculation de motifs hégéliens dans l'immédiat avant-guerre. On doit mentionner ici, non seulement le cours de Kojève, mais le rôle d'un penseur authentiquement hégélien comme Eric Weil, et aussi l'intérêt pour le jeune Marx, Kierkegaard, Heidegger qu'une revue tournée vers l'Allemagne, les *Recherches philosophiques,* contribue à éveiller.

Or c'est justement le trop facile succès de la critique *immanente* de Habermas qui inquiète. Il est assez juste de donner pour repère philosophique à cette lignée française de pensée l'œuvre de Hegel. Habermas a certainement tort de ranger Nietzsche lui-même parmi les héritiers de Hegel, mais il a raison de discerner chez les interprètes français de Nietzsche la présence d'un raisonnement hégélien *affolé.* Ce qui fait la saveur et l'arôme propres au courant qu'il critique n'est pas à chercher dans un prétendu néo-structuralisme, c'est le mélange explosif de la dialectique et de la critique au marteau. Habermas rappelle à son lecteur que Nietzsche n'est pas un auteur qu'on puisse aisément ranger à gauche. Il critique fort bien les équivoques d'un nietzschéisme rouge. Mais le plus juste ici serait de parler d'un hégélianisme noir. Outre les auteurs français étudiés par Habermas, il faudrait compter comme « mélanhégéliens » Klossowski et Blanchot, ne serait-ce que pour leurs interprétations de Sade et de Lautréamont. On notera enfin que le Nietzsche de Deleuze est tout occupé à se

---

1. Il est regrettable que, dans son livre, Habermas n'ait pas consacré une étude à Jean-François Lyotard. Ce dernier, de tous les auteurs français visés, lui est sans doute le plus proche par les références (Marx, Freud, Adorno, philosophie linguistique). La différence des positions n'en est que plus significative.

garder du mélanhégélianisme ambiant, au point qu'il finit par figurer une sorte d'anti-Hegel, autre symptôme de l'affolement hégélien.

Habermas ne se préoccupe pas de chercher s'il n'y aurait pas, dans la période française qui va en gros de 1930 à 1960, de certaines particularités affolantes pour un esprit français. Fidèle à la règle de la critique immanente, il se borne à mettre les auteurs en contradiction avec eux-mêmes, ce qui ne lui est pas trop difficile. Il ne s'avise pas que ses objections perdent un peu de leur force si l'on se souvient qu'elles ont déjà été faites, précisément par des hégéliens orthodoxes tels que Eric Weil, et justement au nom d'une raison définie par le dialogue non-violent. Les hérésiarques de l'hégélianisme ont déjà été plusieurs fois *corrigés* par des maîtres. Ils n'en ont pas moins fait preuve d'un entêtement qu'on peut juger diabolique, mais qu'il vaudrait mieux tenter de comprendre.

On ne peut ici se dispenser d'examiner ce qu'il faut bien appeler la crise française des Lumières. Habermas a tout à fait raison de dire à ses lecteurs que les idées des Français cités ci-dessus ont un passé allemand. Mais il se produit alors une étrange inversion. C'est le droit et le devoir de Habermas que de déplorer l'absence d'une vigoureuse tradition de pensée critique chez les intellectuels (on dirait mieux : les professeurs) allemands. Habermas peut donc reprocher à ses compatriotes de ne pas avoir sérieusement donné sa chance à l'*Aufklärung,* d'avoir trop vite déserté le projet moderne. Mais ce reproche ne saurait être adressé dans les mêmes termes aux Français. Ce qui a manqué en France n'est certes pas l'engagement à gauche des hommes de lettres ou des professeurs, ni les comités de vigilance antifasciste. Les perplexités françaises ont une autre origine.

Pour le dire en termes trop généraux, nous ne raisonnons pas en France dans la perspective ouverte par un *projet* moderne. Nous raisonnons en nous déterminant d'après une *œuvre* moderne. Nous raisonnons après la Révolution, dont l'héritage nous réunit profondément avant de nous rendre à nos divisions[2]. Or cela ne peut vouloir dire qu'une seule chose : *nous*

---

2. Je veux dire que ceux d'entre nous, Français, qui ne reconnaîtraient à notre Révolution *aucune* part dans ce qui fait d'eux, à leurs propres yeux, des Français, ceux-là seraient trop excentriques ou trop peu clairvoyants pour participer à un débat de l'opinion française.

raisonnons après l'échec de la Révolution (française) à libérer l'humanité. L'outrecuidance de ce que je viens d'écrire dans la phrase précédente suffit à signaler qu'on ne s'occupe pas ici des faits historiques, mais plutôt de ce qui peut en être accepté par la légende politique ou la religion civile française. Comment le système collectif des représentations dont disposent les Français pour s'identifier comme *citoyens français* peut-il s'accommoder de l'écart entre les promesses révolutionnaires et les expériences ultérieures ? Ecart déjà sensible aux contemporains, et dont les plus lucides avaient tiré la leçon sociologique : on ne peut pas fabriquer le social par les opérations de la politique. Ecart qui n'a cessé de se préciser jusqu'au premier conflit mondial. Double échec, double déconvenue. Au XIXe siècle apparaissent d'abord les *nationalismes,* puis, au tournant du siècle, les riches possibilités de la *démagogie populiste.* Ce ne sont pas là des régressions, des rechutes dans un ancien régime de l'humanité, mais des « malheurs de la démocratie » [3].

En quoi y a-t-il une crise spécifiquement française des Lumières ? En criant « Vive la Nation ! » à Valmy, les Français ne soupçonnaient pas qu'ils inauguraient l'âge des guerres nationales. Pour la pensée française, le *principe des nationalités* est d'abord une idée de gauche, un idéal de libération qui mettra tous les peuples sur un pied d'égalité. Lorsque Napoléon III entre en guerre avec l'Autriche pour soutenir la cause de l'unité italienne, le peuple parisien surprend tout le monde par sa manifestation d'*enthousiasme,* comme le raconte le libéral Emile Ollivier, alors dans l'opposition :

« (...) Dans les quartiers populaires, l'enthousiasme devint délirant ; sur la place de la Bastille, la foule se précipita sur la voiture [de l'Empereur en tenue de campagne], agitant les chapeaux avec frénésie, aux cris de "Vive l'Empereur, vive l'Italie, vive l'armée !" Les amis furent surpris autant que les ennemis. La passion de la démocratie française pour l'émancipation des peuples se manifestait une fois de plus. Même ceux qui depuis décembre faisaient froide mine à l'Empereur du coup d'Etat portèrent en triomphe l'Empereur de la guerre. Le

---

3. Pour reprendre l'expression de Louis Dumont dans *Homo hierarchicus* (Paris, Gallimard, 1966, p. 29). Il commente ce point en disant qu'une réflexion sur la démocratie moderne « devrait évidemment considérer l'*ensemble* de l'histoire de l'univers de la démocratie moderne, y compris d'une part les guerres, de l'autre le Second Empire, le Troisième Reich ou le régime stalinien » (p. 30, n. 5).

peuple de Paris n'éprouvait pas nos scrupules et n'imita pas notre abstention : il approuva chaleureusement, il se rangea derrière son Empereur et non derrière ses députés, quoiqu'il les eût nommés pour faire de l'opposition » [4].

L'émancipation nationale des peuples appartient alors au même mouvement de progrès vers la fraternité qui inclut aussi l'abolition des inégalités sociales, la rédemption du travail, etc. A mesure qu'on avance dans le siècle, l'idée nationale subit une migration de gauche à droite. A l'époque du général Boulanger, un intellectuel qui se voudrait opposé au chauvinisme, réfractaire à l'« hystérie » nationaliste du peuple, devra avoir la foi dans l'avenir d'un socialisme internationaliste, ou bien s'habituer à penser en dehors du présent *consensus* entre le peuple et les notables, dans une solitude qui sera justement celle de Nietzsche après 1870.

La guerre de 1914-1918 éclate, au jugement de l'opinion, en raison du conflit des nationalismes. Les *minoritaires* qui avaient misé sur l'internationalisme foncier des masses laborieuses et de leurs organisations se sont lourdement trompés. Pourtant, grâce à la défaite de l'Empire russe et à la paix séparée, les certitudes idéologiques françaises purent être sauvées. Désormais, le conflit était d'une parfaite clarté : la victoire serait celle des démocraties sur les empires. Le principe des nationalités pouvait donc revenir à l'honneur. Nul n'était plus obligé de douter que les empires défaits par la guerre eussent été justement condamnés par l'histoire. Il allait de soi que la nouvelle carte de l'Europe, d'où le monstre anachronique de la « Cacanie » chère à Musil avait été effacé, était plus *moderne,* et donc plus viable, que l'ancienne.

Or le malheur de l'idée démocratique qui a nom « Guerre mondiale » est inséparable d'une autre infortune des Lumières : le phénomène de la formation des *masses,* et l'exploitation politique de ce phénomène par la technique léniniste et fasciste d'organisation politique [5].

Pour la pensée libérale, l'idéal humain serait d'étendre à tous les aspects de la vie une structure sociale qu'on pourrait dire *ecclésiale,* au sens des premières communautés chrétiennes.

---

4. Cité par Jean Plumyène, *Les nations romantiques,* Paris, Fayard, 1979, p. 240.
5. Aujourd'hui, le mot « socialisme » ne désigne souvent guère plus que cette manipulation des foules par l'appareil d'un parti de masse.

Cette structure consiste dans la réduction au degré zéro de tous les rapports de type institutionnel. Il n'y a plus ni maître ni serviteur, ni homme ni femme, ni parent ni étranger. Tous les rapports humains sont, si l'on peut dire, *à tu et à toi,* comme il se doit entre *frères* (ou entre *camarades*). Quelque chose de ce genre est anticipé dans une secte égalitaire, qu'elle naisse d'une religion transcendante ou d'un millénarisme (je pense ici aux « groupuscules », aux « minorités actives » du mouvement révolutionnaire). A la faveur de l'annulation des différences institutionnelles, il peut régner dans ces sectes — pour un temps — une intense proximité humaine, une liberté heureuse de rapports purement personnels. Les institutions ont cessé de fixer d'avance qui serait qui face à qui. Entre une personne et une autre personne, rien d'extérieur ne vient troubler la pure humanité du rapport. Cet idéal humain concentre en soi l'utopie individualiste : on se figure un groupe humain constitué par des rapports purement éthiques entre les individus (« éthique » voulant dire ici : réglé par la conscience personnelle de chacun et non par un ordre institué en dehors des individus).

Il est alors profondément troublant, pour un esprit formé dans ces vues libérales, d'observer, en pleine époque moderne, le phénomène de la formation de la *foule.* Nous parlons aujourd'hui des masses, mais on sait que la *Massenpsychologie* hérite de la « psychologie des foules » élaborée par Gustave Le Bon, en référence aux récits des mouvements de la foule parisienne pendant la Révolution[6]. Des gens pris dans une foule changent de « psychologie » : alors qu'ils étaient, pris à part, des personnes de sens rassis, ils deviennent crédules, émotifs, irritables. L'« émotion » cesse d'être contrôlée par la « raison ». Elle doit se décharger sur-le-champ, immédiatement, c'est-à-dire de façon « primitive » ou « puérile », dans des cris, des gesticulations, des violences « magiques » contre des symboles ou des boucs émissaires. L'*esprit critique* est suspendu : la foule croit les nouvelles les plus invraisemblables, change subitement d'avis, se laisse guider par des *mots d'ordre* au lieu de se rallier au meilleur argument.

6. La bibliographie du sujet, de Gustave Le Bon (*Psychologie des foules,* 1895) à Elias Canetti (*Masse et puissance,* 1960) en passant par Georges Sorel (*Le procès de Socrate,* 1889) et Freud (*Psychologie des foules et analyse du moi,* 1921) est immense. J'ai trouvé utile la vue d'ensemble donnée dans le travail de Friedrich Jonas (*Geschichte der Soziologie,* Hambourg, Rowolt, t. III, 1969, pp. 7-29).

Avec la masse humaine et sa turbulence, son *tumulte* toujours menaçants, c'est aussi le personnage du démagogue qui entre en scène. De la foule se détachent le *meneur,* le *leader,* le *Führer.* Les autorités constituées avaient perdu tout crédit. Les notables ne parvenaient plus à se faire entendre. Les chefs traditionnels étaient déconsidérés. Tout ordre était donc dissous, et soudain du trouble général surgit l'*homme fort* dont la parole dicte les consignes, désigne les coupables, ordonne la mobilisation des énergies.

Pour concevoir un tel prodige, les penseurs ont demandé aux sciences naturelles tous les modèles possibles d'action à distance ou de propagation fulgurante des mouvements. On a essayé de comprendre la formation de la foule : par le modèle de la *contagion épidémique,* celui des champs d'*énergie* (la foule est électrisée, magnétisée, galvanisée), par celui d'une *hypnose* collective (ou suggestion), par celui du *mimétisme animal* (conduite grégaire du troupeau). Mais, pour la pensée libérale, le problème n'est pas tant d'expliquer le phénomène par un mécanisme que d'en concevoir la simple possibilité à l'intérieur de son schéma philosophique de l'histoire. Comment comprendre qu'en pleine époque moderne des individus qui se conduisaient jusque-là en personnes autonomes, chacune se tenant pour responsable d'elle-même, renoncent spontanément à l'autonomie et retournent à un état « primitif » de l'humanité. Comment l'individu peut-il se lasser d'être un individu autonome ? Le fait qu'il y consente met en question l'idée d'une ligne d'évolution allant des sociétés « closes » aux sociétés « ouvertes ». La société « primitive » est *fermée,* d'une clôture qui interdit aux individus de juger par eux-mêmes, de se distinguer, de faire sécession. La société « civilisée » est *ouverte* : elle réprouve les comportements grégaires et approuve les caractères indépendants. Aussi la théorie libérale de l'histoire concède-t-elle volontiers que les sociologues ont bien des choses à dire sur les tribus primitives, et encore sur les sociétés complexes traditionnelles (comme l'Inde, la Chine ou le Japon). Ils peuvent encore analyser l'ordre féodal européen. Mais la sociologie cesse d'être valide dès qu'on dépasse la Grèce archaïque pour considérer la Grèce classique : car on est passé du *muthos* au *logos* ! A plus forte raison, des notions telles que celles de « conscience collective » ou de « polarité du sacré et du profane » ne sauraient-elles être appliquées aux populations occidentales contemporaines.

Pour ce qui nous occupe ici — l'étroitesse de la conception de la vie humaine dans la philosophie quasiment officielle de la IIIe République —, le point important est qu'un compromis ne saurait suffire à réparer l'accroc subi par la philosophie libérale de l'histoire. Il ne sert à rien de parler de régression, de rechute dans les processus primaires du psychisme, de réapparition des traits primitifs de l'humanité. Pour le penseur libéral, la disparition des disciplines sociales à l'âge moderne *devrait être* la libération de l'individu. Inversement, la formation de la foule *devrait être* le retour à un stade tribal de l'humanité. Pourtant, ce n'est pas ce qui arrive. La dissolution de l'ordre social ne donne pas naissance à l'individu souverain. Elle produit un trouble profond, dont le corps social se défend par une violente réaction. Quant à l'établissement de l'ordre nouveau totalitaire, il n'est pas du tout le retour à une organisation de type *holiste*, contrairement à toutes les attentes du rationalisme critique : il est la constitution d'une chose ultra-moderne, à savoir, la fabrication d'une identité collective avec des représentations qui en sont la négation, comme celles de « lutte des classes » ou de « lutte des races »[7].

J'y insiste à nouveau : mon objet n'est pas ici directement l'histoire du XXe siècle, le fait des guerres, les régimes totalitaires, les suites mondiales du conflit européen. Mon objet n'est pas l'ensemble des événements formant l'actualité, il est la réponse des philosophes à cette actualité. Mon propos est donc à la fois limité et précis. Il n'est même pas le désarroi *moral* de la société française avant et après la dernière guerre, dont les témoignages abondent. Un historien donnera une explication forcément complexe de la défaillance française, puisqu'il devra mentionner la perte de substance pendant la première guerre, le déclin démographique, l'ineptie du personnel dirigeant, les divisions politiques, etc. Mais ce désarroi moral est doublé d'un désarroi *intellectuel* qui s'est déclaré à l'époque et n'a pas été véritablement maîtrisé depuis. Or c'est ici, précisément, qu'il y a une place pour la réflexion du philosophe intervenant comme philosophe.

---

7. Voir l'étude de Louis Dumont sur la « maladie totalitaire » dans ses *Essais sur l'individualisme,* Paris, Seuil, 1983.

Penser l'événement consiste le plus souvent à *donner une identité morale* à ce qui vient d'arriver, *dans les mots de la religion civile,* je veux dire : dans des mots qui parlent à tous et préparent la communauté aux décisions qu'appelle cet événement. Seul un événement qui ne requiert aucune décision personnelle et collective peut se contenter d'une identité physique, d'une description donnée en un vocabulaire neutre. Mais, si le groupe auquel nous appartenons doit réagir, il faut que le changement récent ou imminent de l'état des choses lui soit annoncé dans un langage qui fixe clairement les responsabilités et les mérites, les tâches et les droits : ce qui arrive veut dire menace ou secours, victoire ou défaite, crime ou châtiment. L'utopie des philosophies rationalistes est qu'il existe, dans la raison individuelle de chacun, un vocabulaire universel, le même pour tout être pensant, qui doit être utilisé pour préparer une décision éclairée. Ce vocabulaire est celui qu'utilisera une opinion publique libre de se former dans la communication des personnes. Il appartient alors au philosophe d'expliciter le vocabulaire de la raison humaine et de veiller à ce que ce soit bien celui dont on use dans les débats.

Mais cela, c'est du pur philosophisme. Tout ce qu'on peut attendre du philosophe est qu'il ne se borne pas à jouer le rôle d'un gardien du système, dont il est toujours possible de vanter la « rationalité » et la cohérence interne. Il doit aussi, s'il le faut, être sensible aux irrationalités du système : le rôle critique que jouent alors les vrais philosophes est d'accuser les paradoxes insupportables qui résultent d'un usage naïf du vocabulaire en vigueur, de façon à leur inventer des solutions. Autrement dit, les révisions conceptuelles les plus sérieuses ont nécessairement un caractère local et motivé.

En 1938, un problème proprement philosophique se pose à quiconque acceptait de considérer sérieusement le fait suivant : les régimes démocratiques paraissent, à cette date, incapables de mobiliser vigoureusement les énergies des citoyens pour la défense de ce qu'ils avaient de plus sacré. En revanche, des régimes manifestement tyranniques ont les plus grand succès dans ce domaine : ils abordent donc l'épreuve de force, que tout le monde sent prochaine, dans les meilleures conditions de préparation matérielle et morale. Je ne considère pas ici la pertinence de ce diagnostic, qu'on peut vouloir corriger par ce qui n'est devenu clair qu'ensuite. Par exemple, tout le monde en France semble avoir surestimé les capacités du régime fasciste italien, et nul n'avait prévu le rôle que joueraient les Etats-Unis. Seul m'occupe ici le problème philosophique, celui qu'on doit forcément se poser si on admet que le diagnostic de 1938 était au moins partiellement exact, qu'il représentait bien la situation respective en France et en Allemagne. Du reste, du point de vue du philosophe, ce qui donne à penser est que ce diagnostic *puisse* être exact, qu'il ne soit pas *d'avance* exclu comme absurde, que la situation fâcheuse ainsi représentée ne soit pas logiquement *inconcevable*. Car, si le diagnostic en question n'est pas coupable d'une contradiction dans les termes, se pose le problème suivant : Comment expliquer qu'un *peuple* (ce que nous désignons du noble nom de *peuple*) paraisse s'enflammer, sous un régime ouvertement tyrannique, pour des idéaux inhumains, tandis qu'un autre peuple, sous le régime démocratique, se montre démoralisé ? Un tel problème est philosophique, puisqu'il faut, pour parvenir à enregistrer la simple *possibilité* de ce fait, procéder à une révision partielle, mais radicale, du schème conceptuel qui organise la vision collective des choses. Hitler a-t-il derrière lui le peuple allemand ? Question de fait, question de jugement politique et historique. Est-il seulement concevable qu'un tyran soit populaire, que son peuple puisse être mobilisé derrière lui et non contre lui ? Est-ce qu'une telle situation, impossible selon notre orthodoxie civique, ne serait pas malgré tout une réelle possibilité de notre monde ? Question conceptuelle, question philosophique. (Est-il besoin d'ajouter que tout historien se pose à la fois des questions de fait et des questions conceptuelles ?)

L'état du monde est aujourd'hui bien différent de ce qu'il était en 1938. Un lecteur d'âge mûr, pour retrouver le sens de l'avant-guerre, doit déjà ajouter aux souvenirs familiaux absorbés dans l'enfance le complément des Mémoires et des travaux historiques. Pourtant, le fait qu'il n'y ait plus de régimes fascistes ni d'enthousiasme pour les partis prolétariens ne règle pas tout. Le désarroi intellectuel français n'a pas cessé à la fin de la guerre. Il n'a cessé, je crois, de déterminer le *ton* et l'*humeur* de la controverse entre intellectuels. En effet, il semble que les révisions intellectuelles qui s'annonçaient nécessaires en 1938 aient été indéfiniment différées, d'abord en raison de la guerre et de ses urgences, puis en raison des exigences de la reconstruction, dont chacun sent bien qu'elle n'a pris fin

qu'avec le règlement du problème colonial sous la V⁰ République. Le débat de 1938 n'a pas été repris en 1945, et peut-être
ne le pouvait-il pas. L'issue inattendue de la guerre gelait pour
longtemps, non seulement la carte européenne, mais le jugement politique. Idéologiquement, rien n'était décidé en France
puisqu'on avait à la fois la défaite allemande *et* la guerre froide.
Ainsi, des deux identités morales que pouvaient revêtir les
événements de 1939-1945, aucune ne parvenait à l'emporter
clairement. La guerre avait-elle été l'affrontement ultime du
camp fasciste et du camp antifasciste ? Dans ce cas, les démocraties libérales recevaient idéologiquement un rang subalterne,
puisqu'elles devaient alors passer pour moins *avancées* que les
démocraties socialistes : elles figuraient le rôle un peu terne du
« républicain de progrès » sur une liste d'« union de la gauche ». Ou bien la guerre avait-elle été l'affrontement du camp
démocratique et du camp totalitaire ? Dans ce cas, le grand
conflit n'avait pas trouvé de solution militaire, et le monde
restait en état d'instabilité.

C'est d'abord la première version de l'événement qui a été
le plus communément adoptée par les intellectuels français.
Dans l'après-guerre, le marxisme a joui d'une surprenante
autorité intellectuelle, sans doute parce qu'il permettait de
réparer au moindre coût la légende républicaine de la Révolution. On expliquait alors les guerres par l'impérialisme, le
fascisme par la crise économique et le cynisme du grand capital,
l'antisémitisme par les vues irrationalistes qui ne pouvait
manquer d'avoir une bourgeoisie dont la mission historique
était révolue.

Il a fallu attendre les années 1980 pour que la deuxième
version l'emporte définitivement sur la première. L'antithèse de
la démocratie et du totalitarisme est aujourd'hui acceptée par la
plupart des gens, alors qu'elle était rejetée comme une invention
américaine il y a encore une vingtaine d'années. Du même coup,
on ne dit plus : le *pouvoir aux travailleurs* ! mais : *les droits de
l'homme* !

Je crois qu'on n'aurait pas de peine à retrouver, formant la
trame des épisodes récents de nos débats intellectuels entre
Français, un scénario du genre de celui que je viens d'esquisser.
Tout se passe comme si un *trauma* avait été infligé à la
conscience française avant la dernière guerre, et qu'il fallait
rejouer la scène dans toutes ses versions jusqu'à ce qu'on lui

trouve un dénouement acceptable. En particulier, il me semble peu éclairant de chercher la clé du moment nihiliste de la philosophie française après Sartre dans le présent politique de cette philosophie [8]. La révolte des jeunes en 1968 n'explique ni ne s'explique par le structuralisme et le post-structuralisme. Des auteurs comme Althusser, Foucault ou Derrida (pour ne rien dire de Lacan, souvent traité dans ce contexte comme un philosophe *honoris causa*) n'étaient nullement préparés intellectuellement à pressentir les idées de Mai : encore moins pouvait-il être question pour eux d'y consentir. A mes yeux, ce qui éclaire le ton tour à tour désespéré, cynique, blasé ou *scélérat* des auteurs de cette « génération » (en prenant le mot dans le sens vague d'une génération intellectuelle, constituée comme telle par le public, plutôt que par l'âge ou la date des publications), il ne faut pas tant le chercher dans les dix années de gaullisme ou dans l'essor des sciences humaines que bien plutôt dans les expériences formatrices de l'enfance et de l'adolescence. La succession rapide de régimes réclamant tous l'obéissance à leurs lois, mais s'accusant réciproquement d'illégitimité, n'est pas faite pour rendre plausible la notion de *consensus*. L'ordre moral invoqué par le régime de Vichy n'est pas pour rien dans le désir de se placer par-delà le bien et le mal. L'expérience du marché noir, de la dénonciation anonyme, et des hasards de l'épuration ne peut manquer d'éveiller un intérêt pour la « microphysique des pouvoirs ».

On ne peut relire aujourd'hui sans émotion le *Bulletin* de la Société française de philosophie qui rend compte de la séance du samedi 17 juin 1939 (40ᵉ année, nᵒ 2). Les membres de la Société qui sont venus écouter Raymond Aron développer un argument intitulé « Etats démocratiques et Etats totalitaires » ne savent pas que les activités de leur association vont être interrompues jusqu'en 1945. Le texte de la conférence d'Aron doit d'ailleurs être cherché dans le volume de l'année 1946. Au dos des derniers bulletins de l'année 1938, on peut lire les annonces publicitaires de la librairie Armand Colin. Ainsi, au dos du premier numéro de 1938, on trouve ceci :

---

8. Comme l'ont fait Luc Ferry et Alain Renaut dans leur livre *La pensée 68*, Paris, Gallimard, 1985.

« *Vient de paraître* : ALBERT RIVAUD, Professeur à la Sorbonne et à l'Ecole des Sciences Politiques. LE RELÈVEMENT DE L'ALLE-MAGNE : 1918-1938. »

Le texte de présentation dit notamment ceci :

> « S'il est un ouvrage d'actualité, c'est bien cet ouvrage de M. Albert Rivaud. (...) Sous l'impulsion du socialisme national, le Troisième Reich est devenu une immense armée, cherchant à vivre des seules ressources du territoire. Hitler est parvenu à soumettre les masses fanatisées à la dictature des techniciens les plus capables. C'est une union étonnante de la démagogie et de la technique : le système peut durer. Mais il est incompatible avec l'existence des autres nations. C'est donc à elles de se défendre, à la fois par une réforme intérieure qui assure à chacune unité et force, et par des accords économiques et militaires précis, en vue du conflit menaçant (...). »

Au dos de l'unique *Bulletin* de 1939, qui rendait compte des exposés de Jean Cavaillès et d'Albert Lautman sur « la pensée mathématique », nous apprenons que le livre de Rivaud en est à sa quatrième édition et qu'il a reçu différents prix. Même dans les pages de l'austère organe de la Société française de philosophie on pouvait entendre le bruit extérieur, sentir l'inquiétude grandir au rythme des rééditions d'un livre dont la brève présentation citée ci-dessus marque bien ce qu'il y a d'inadmissible dans l'actualité. Un lecteur ordinaire du *Bulletin* ne peut qu'être scandalisé d'apprendre que le projet hitlérien ne rencontre aucune résistance interne massive, que tout un pays est mobilisé, fonctionne comme une armée. On remarque en passant combien la phrase de la présentation évoquant l'« union étonnante de la démagogie et de la technique » est plus juste que le mot célèbre de Heidegger sur le nazisme comme rencontre de la technique planétaire et de l'homme moderne. Autant Heidegger est prêt à traiter avec abondance de la métaphysique de la technique et de ses présupposés parménidiens, autant il reste coi sur des sujets tels que la *démagogie* et la *dictature*. La notion heideggerienne de *mobilisation,* qui reste très abstraite, donne vaguement à concevoir une concentration d'énergie pour des travaux à l'échelle planétaire : elle a perdu toute signification militaire ou civique. Le fait de dire l'*homme moderne,* au singulier, ne facilite pas l'examen des rapports qui s'établissent entre les hommes, au pluriel.

Dans sa conférence, Aron s'attachait à défaire le nœud conceptuel qui paralysait l'intelligence française des régimes totalitaires. Selon l'usage, il avait communiqué à l'avance un texte contenant huit propositions destinées à être développées. Parmi les propositions de l'argument, les plus dures à entendre étaient peut-être la cinquième et la septième.

> « 5) *Les régimes totalitaires sont authentiquement révolution-naires, les démocraties essentiellement conservatrices.* (...)
> 7) *L'optimisme politique et historique du XIXᵉ siècle est mort dans tous les pays.* Il n'est pas question aujourd'hui de sauver les illusions bourgeoises, humanitaires ou pacifistes. Les excès de l'irrationalisme ne disqualifient pas, bien au contraire, l'effort nécessaire pour remettre en question le progressisme, le moralisme abstrait ou les idées de 1789. Le conservatisme démocratique, comme le rationalisme, n'est susceptible de se sauver qu'en se renouvelant. »

Ces deux thèses, pourrait-on dire, font savoir où se trouvent les *points de douleur* [9] d'une conscience progressiste. Un premier point de douleur est localisé dans la zone qui abrite l'enthousiasme pour la Révolution. Un second point de douleur peut être détecté dans la région où se prononcent, au nom des « idées de 1789 », des jugements moraux parfaitement abstraits.

En suggérant que la révolution n'était pas forcément libératrice, que les institutions démocratiques méritaient d'être conservées, Aron remplissait son office de philosophe. Il montrait comment ce que notre *conscience* commune nous donne pour indissoluble ne l'est pas forcément dans le *concept*. Il touchait ainsi à un premier point de douleur : car le mot « révolution », pour tous ceux des Français qui n'ont pas été élevés dans un ghetto clérical, porte tout ce qui doit être respecté, tout ce dont il y a lieu d'être fier, toute la mission universelle dévolue à notre pays. Aron ne demande pas seulement à son auditoire d'accepter, sur le plan du fait, que les révolutions peuvent échouer, mal tourner, etc. Il leur indique le besoin d'une révision conceptuelle sans laquelle certains faits historiques seront toujours tenus pour des accidents ou des exceptions. Ainsi, les Français ont bien appris dans leurs livres

---

9. Je parle de « points de douleur » par analogie avec le « point d'horreur » et le « point de rire » que comporte, selon François Roustang, toute lecture poussée jusqu'à ses limites (« De la relecture », *MLN,* 1986, vol. 101, n° 4, p. 806).

d'histoire que l'Empire succède à la République. Pourtant, le phénomène du pouvoir fort résultant du tumulte social n'est pas jugé significatif. Le point aveugle de la légende républicaine, largement dominante chez les professeurs de philosophie de la IIIᵉ République, est celui que devrait occuper une sociologie de la révolution[10]. On voit que ce problème de vocabulaire — faut-il qualifier de « révolutionnaire » le régime nazi ? — ne peut être réduit à une simple querelle de mots. Il s'agit en fait de l'identité morale des événements. Si une révolution est d'emblée définie comme une œuvre de libération, on est logiquement tenu de voir une libération là où on est bien obligé d'admettre qu'il y a une révolution, à savoir, chez Staline. Autrement dit, on doit penser que le régime ne fait que passer par une période de terreur, que les choses ne pourront que s'améliorer. Inversement, il faudra logiquement refuser de voir une révolution là où il n'est rien qui puisse être considéré comme une libération. Mais, si le régime nazi n'est pas révolutionnaire, il doit y avoir un conflit, qui ne manquera pas d'apparaître sous la forme d'une résistance populaire, entre les chefs et les masses.

Un deuxième point de douleur se fait sentir lorsqu'il faut regarder au-delà des frontières. Dans la discussion qui suivit la conférence d'Aron, il lui fut reproché d'avoir méconnu l'importance du mouvement antifasciste. Ceux qui se sont dépensés dans ce mouvement estiment avoir ainsi résisté, là où ils le devaient, à la montée du fascisme. Ici, la réponse d'Aron est déjà celle qu'il résume ainsi dans ses *Mémoires* :

> « Je l'ai écrit déjà : je ne croyais pas au danger du fascisme en France parce qu'on y cherchait vainement un démagogue, des masses désintégrées, une passion conquérante, en bref, aucune des composantes de la crise fasciste. Les antifascistes pourchassaient un ennemi insaisissable et ils ne s'accordaient pas sur l'essentiel, la méthode à suivre contre le véritable ennemi, Hitler »[11].

La conscience progressiste a du mal à faire la différence entre l'opposition *civile* aux velléités fascisantes de l'extrême droite

---

10. C'est le titre d'un livre de Jules Monnerot : *Sociologie de la révolution*, Paris, Fayard, 1969. On peut faire des réserves sur le contenu de cet ouvrage (sur son côté Pareto-Burnham trop appuyé, pour « déplaire à gauche ») et reconnaître la légitimité intellectuelle du projet de faire la sociologie des révolutions.

11. *Op. cit.*, p. 209.

française et l'opposition *militaire* aux ambitions du chancelier Hitler. Il lui est difficile d'admettre que la politique extérieure ne se laisse pas formuler dans les termes de la politique intérieure. Ce qui, pourtant, ne demande rien d'autre que d'accepter de voir au-delà de nos frontières d'autres pays, d'autres peuples, pour lesquels la France n'est pas forcément la pure incarnation de l'humanité. En réalité, la conscience progressiste préfère penser les guerres comme des élargissements planétaires d'une guerre civile, opposant d'ailleurs, non deux factions, mais un parti anti-national et un parti représentant la coïncidence du particulier (la patrie) et de l'universel (l'humain).

Très caractéristique à cet égard est l'appel fréquent au scénario légendaire de l'affaire Dreyfus pour penser tous les conflits. Emmanuel Lévinas rapporte un mot de Léon Brunschvicg en 1932, au moment où la situation européenne se détraque à nouveau : « Les hommes de ma génération ont connu deux victoires : l'affaire Dreyfus et 1918. » Et Brunschvicg ajoutait : « Et voici que les deux batailles gagnées sont de nouveau sur le point d'être perdues » [12]. Mais, si l'affaire Dreyfus est l'exemple même d'une situation où la décision demandée est d'une clarté lumineuse, c'est justement parce qu'on ne saurait y douter de la nécessaire subordination du jugement politique au jugement moral. L'affaire Dreyfus, paradigme de toutes les affaires, qui sert aux intellectuels français de modèle pour les jugements à prendre en face de l'actualité, est pourtant un drame exceptionnel : en ceci qu'il n'existait aucune raison politique *valide* de prendre parti *pour* ou *contre* la révision du procès. Que l'Affaire ait aussi un arrière-fond et des suites politiques, c'est autre chose. Un dreyfusard conséquent n'est pas troublé d'apprendre que l'Affaire a aussi un côté politique, que certains dreyfusards sont moins pour Dreyfus que contre l'autre camp. Il sait ou peut imaginer qu'à l'occasion de l'Affaire des carrières politiques s'amorcent, des combinaisons ministérielles s'esquissent. Tout cela, qui existe, ne compte pas, puisqu'on peut et doit isoler le principe. Mais les grandes crises de conscience de l'avant-guerre — entrée des troupes allemandes en Rhénanie, guerre d'Espagne, accords de Munich, etc. — ont suffisamment fait ressortir les limites de ce qu'Aron

---

12. Cité par M. Blanchot, « Les intellectuels en question », *le Débat,* n° 29, 1984, p. 18.

appelait, dans son argument pour la Société de philosophie, « le moralisme abstrait ou les idées de 1789 ». Alors en effet, les *principes* ne suffisent plus à nous décider pour le Bien : car il y a toujours, pour tout principe, un autre principe ou une autre application du même principe. Impossible d'ignorer les questions proprement politiques, lesquelles ne se posent qu'à ceux qui se reconnaissent une appartenance à un groupe : avec qui s'allie-t-on, contre qui, pour quels objectifs réels, avec quelles suites probables ou éventuelles pour notre communauté ? La décision politique ne saurait, bien sûr, être prise ailleurs qu'en ce monde : elle n'est pas de se déclarer contre tous les camps, contre le pouvoir et contre l'opposition, contre tous les partis et contre l'Etat, contre tout ce qui existe et pour les valeurs.

Parmi les signes de la rémanence des problèmes de 1938 dans l'après-guerre et jusqu'à nous, on peut citer l'intérêt grandissant pour les petites sociétés de pensée d'avant guerre qui avaient tenté de les poser, en particulier pour l'étrange association du Collège de sociologie.

Dans les années 1960, plusieurs motifs empruntés à la branche mélanhégélienne du Collège ont été mis à la mode par des littérateurs appartenant à l'avant-garde conformiste. Sur des thèmes comme ceux de la *fête* et de la *transgression,* il s'est donné à Paris (ou à Cerisy-la-Salle) des variations qui allaient du virtuose au ridicule. Si les exploits transgressifs d'il y a une vingtaine d'années paraissent aujourd'hui répétitifs et vains, c'est sans doute que ces thèmes sociologiques n'avaient été repris qu'après avoir été entièrement déchargés du contenu sociologique que Bataille, Caillois ou Leiris s'étaient efforcés de leur donner. Il fallait en effet, à cette date, se garder de heurter l'*idée chic* du jour, à savoir, un pesant marxisme pimenté de maoïsme. Pourtant, comme l'a dit plus tard Caillois en réponse à la question : Qu'alliez-vous donc chercher du côté de la sociologie ?

> « C'était, je l'avoue, une entreprise vaguement antimarxiste. Je précise toutefois que cet antimarxisme n'impliquait nullement, au contraire, un engagement politique, disons à droite. Seulement, voilà : nous ne supportions pas la réduction systématique de l'histoire à un déterminisme économique, c'est-à-dire à la lutte pour la vie et à des motivations étroitement utilitaires »[13].

---

13. *Roger Caillois, Cahiers pour un temps,* Paris, éditions Pandora - Centre Georges Pompidou, 1981, pp. 19-20.

Un mérite indéniable du chapitre que Habermas consacre à Georges Bataille est qu'il centre toute sa discussion sur le problème d'une explication non marxiste de la politique moderne. Il traite dans un certain détail des essais de jeunesse de Bataille sur le fascisme et sur la notion de dépense. Il s'agit bien en effet de savoir si les théories courantes, construites sur le postulat d'une intelligibilité *économique* de la politique, peuvent nous satisfaire. Est-ce qu'on doit chercher à rendre compte des révolutions et du système national-socialiste avec des concepts tels ceux d'intérêt économique, de lutte pour le contrôle des appareils de pouvoir, de classes sociales ? Si l'on répond oui, cela veut dire qu'on veut concevoir les institutions humaines comme des moyens, éventuellement « objectivés » et « réifiés » ou « fétichisés », construits par les individus pour la satisfaction de leurs pulsions. C'est la thèse anthropologique de la pensée libérale et du marxisme. En face de cela, la thèse sociologique, au sens de l'Ecole française et de Durkheim, est qu'il faut partir de l'unité de la *société globale,* unité donnée avant toutes les divisions possibles en institutions diverses ou en classes antagonistes. Il ressort de l'exposé de Habermas sur Bataille que ce dernier ne se voit pas seulement reprocher son irrationalisme (son inspiration nietzschéenne), mais aussi son sociologisme (ses postulats durkheimiens).

Habermas n'a pas tort de conclure qu'aucune théorie satisfaisante ne peut être construite avec les matériaux et les concepts aventureux qu'avance Bataille. Le problème est alors de savoir d'où vient l'incohérence. Habermas note avec intérêt que Bataille, dans ses premiers textes, utilise encore un certain appareil conceptuel marxiste. Il se plaît à comparer plusieurs analyses du jeune Bataille aux idées de Lukacs et d'Adorno. Si seulement Bataille avait pu développer une sorte de marxisme wéberien, il aurait dignement contribué au discours philosophique de la modernité [14].

Mais on peut faire plus justement l'hypothèse inverse. Si Bataille manque son dépassement des préjugés théoriques du libéralisme et du marxisme, c'est peut-être pour avoir trop respecté la philosophie rationnelle, telle qu'elle lui était définie par Kojève, et par son collaborateur à la revue *Critique,* Eric Weil. L'hégélianisme reformulé par ces deux auteurs pouvait

---

14. *Der philosophische Diskurs, op. cit.,* p. 262.

passer à l'époque pour la version la plus riche, la plus intelligente, la plus avancée du rationalisme philosophique. D'où la tentation de poser comme *impossible* ce *réel* qui ne trouve pas de place dans le système de la raison. Dès que Bataille s'exprime en termes « hégéliens », il a tort et il le sait. Il est condamné à ne « rien » dire, ce qui est une position « mystique ». Il doit avouer qu'il prend un intérêt « coupable » pour les figures du *mal* : les sacrifices, les prodigalités ruineuses, les états de fusion et de communication non discursive, crises de larmes, fous rires, extases poétiques. On le voit dans la lettre à Kojève qu'il écrit en 1937[15] : comme élève des philosophes, il sait qu'il a tort ; comme rebelle à leurs leçons, il s'obstine dans ses égarements contre toute raison.

Bataille accorde à Kojève sa thèse : « J'admets (comme une supposition vraisemblable) que dès maintenant l'histoire est achevée (au dénouement près) ». La parenthèse qui réserve le dénouement semble indiquer que Bataille est moins sûr que Kojève de l'inévitable victoire du communisme sous sa forme stalinienne. Quoi qu'il en soit, le problème reste posé, selon Bataille, d'une irrémédiable inquiétude humaine : en langage hégélien, de cette « négativité » de l'être humain « qui n'est pas ce qu'il est et qui est ce qu'il n'est pas ». Puisque l'histoire est quasiment finie, il n'est plus possible de calmer l'homme par la téléologie ou le millénarisme (en langage hégéliano-kojévien, par l'« action »). On ne peut plus dire que l'homme n'est *pas encore* ce qu'il doit être, ou qu'il est *encore trop* ce qu'il ne devrait pas être. Après la « fin de l'histoire », il y a de la « négativité sans emploi » : telle est très exactement la position de la troisième branche hégélienne, celle qui constate que les hommes restent insatisfaits alors qu'il n'y a plus aucune raison de se plaindre. Aucune raison fondée ou présentable dans un discours accordé aux exigences de la communication.

Eric Weil est peut-être le meilleur représentant d'un rationalisme post-historique, dont on exprimerait ainsi la thèse : il n'y a pas que la raison, il y a encore l'*Autre de la raison,* dont on ne peut parler qu'en choisissant la raison. Cette thèse correspond à la réflexion que voici : certes, le réel est rationnel et le rationnel est réel ; mais il n'en est malheureusement ainsi que

---

15. Denis Hollier en donne le texte dans *Le Collège de sociologie, 1937-39,* Paris, Gallimard, 1979, p. 171.

pour ceux qui acceptent de voir les choses ainsi (à savoir, telles qu'elles sont pour la raison) ; la volonté de voir les choses sous un jour raisonnable est-elle elle-même rationnelle ? Est-ce qu'on peut en expliquer le bien-fondé ? On le peut, oui, mais seulement à ceux qui veulent bien accepter des raisons (étant entendu que *nos* raisons veulent être des raisons universellement acceptables). On ne peut pas l'expliquer à ceux qui s'entêtent à ne pas accepter nos raisons (et qui n'en ont pas de meilleures à nous opposer). Cet entêtement est la *violence*. Il y a la violence. Elle n'est pas une simple apparence, un détour irrationnel vers la pleine réalisation du rationnel, comme dans les versions naïves ou dogmatiques de l'idéalisme absolu. Ainsi, l'hégélianisme accepte de se corriger dans un sens qu'on présente parfois comme « kantien » : il existe quelque chose comme le mal radical.

Tout se passe donc comme si, dans cet hégélianisme de la post-histoire, l'optimisme était maintenu du point de vue de la raison, mais était simultanément englobé (ou *aufgehoben*) dans un *manichéisme logique du sens et du non-sens*. Le dualisme de la raison et de son Autre doit en effet être dit logique, puisque le sens est ici défini par la cohérence ou la non-contradiction. Le philosophe, qui veut être l'homme de la raison, consent à reconnaître une « finitude » ou une impossibilité de fonder radicalement la raison sur elle-même. Il n'y a pas de raison ultime de choisir la raison plutôt que la contradiction. Ainsi, pour ceux qui choisissent l'autre parti, pour ces « romantiques » qui acceptent d'être « coupables » ou « mystiques », l'optimisme a le *dernier mot,* mais c'est tout. Le dernier mot est la fin de l'histoire sensée, mais ce n'est pas la fin de l'existence. Le dernier mot n'impressionne que ceux qui tiennent à pouvoir parler (il faut ajouter : à parler dans les formes d'un « discours cohérent »). Au-delà du langage sensé il existe tout un monde tragique de la vie, dont on ne peut d'ailleurs rien dire qui tienne debout. L'Autre de la raison, qui figure bien ici quelque chose comme une divinité méchante, n'a pas vraiment de nom, ou n'a pas de nom qui soit juste. On ne peut en parler qu'improprement, puisque le langage appartient à la raison et à la volonté de sens. Tous les concepts qu'on voudrait utiliser pour « identifier » l'Autre de la raison échouent à le faire, car ils n'en disent quelque chose que pour le soumettre aussitôt à la téléologie de la raison et du sens.

Du point de vue logique, ce manichéisme se caractérise par un usage inhabituel du concept d'altérité. L'expression même d'un « Autre de la raison » l'indique : s'il y a quelque chose comme la raison ou le sens, il faut qu'il y ait une autre chose (une et une seule) qui soit la déraison et le non-sens. Le manichéisme logique ignore la différence entre l'autre au sens d'*alterum,* l'autre des deux termes d'un couple, et l'autre au sens d'*aliud,* quelque chose d'autre dans un sens indéterminé. Il se trouve que la distinction latine a disparu en français, et que le mot français *autre,* qui dérive d'*alterum,* a repris les emplois de *aliud.* Mais le manichéisme décide d'employer le mot *autre* comme s'il devait toujours introduire le pôle opposé, comme si à tout terme donné, on pouvait assigner un autre terme (*aliud*) qui serait son *Autre (alterum).* Il en résulte aussitôt une dialectique, puisque l'Autre de quelque chose sera à la fois le *négatif* du terme donné et son partenaire dans le couple. Par exemple, la main gauche sera à la fois l'*autre* main que la main droite (l'Autre de la main droite) et une chose répondant à la description indéterminée de non-dextérité (« ne pas être la main droite »).

On notera que l'apparence de cette dialectique se dissiperait aussitôt si, avec certains logiciens [16], on demandait au philosophe de tenir un langage moins elliptique. Vous dites : le même, l'autre. Mais le même *quoi ?* L'autre *quoi ?* Les concepts d'identité et de différence ne doivent pas s'employer absolument, mais relativement à un concept. La main gauche ne se réduit pas à être une chose dont tout l'être serait épuisé par le fait d'être autre chose que la main droite. Elle est l'autre *main,* elle est l'autre main du même *corps,* etc. Ou encore, pour rester à l'intérieur d'un traité de l'âme, on a bien le droit de demander : De quelle faculté parle-t-on quand on évoque l'Autre (faculté de l'esprit que la faculté) de la raison ? Est-ce l'imagination ? Est-ce la sensibilité ? Est-ce la volonté ? Mais le manichéisme logique n'accepte pas d'en rester à cette diversité. Il suppose donc que toutes ces facultés qui ne sont pas la raison possèdent la propriété (négative) d'être autres que la raison en vertu d'une propriété (négative-déterminée) d'être l'Autre de la raison. Il faut donc leur trouver un trait commun, une détermi-

---

16. Voir : Peter Geach, *Reference and Generality,* Ithaca, Cornell U.P., 3ᵉ éd., 1980, § 30, pp. 63-64.

nation unique, une essence originelle en vertu de quoi elles ne sont pas la raison. Cette propriété qui explique pourquoi ces facultés participent de l'Autre de la raison, c'est la violence. Il y a donc une violence à détecter dans l'imagination, et dans la sensibilité, et dans la volonté, et dans l'émotion, et finalement, comme s'exprime Eric Weil, dans toute nature, aussi bien la nature extérieure à l'homme que la nature intérieure à l'individu. Pour la pensée grecque, la violence était une contrainte exercée sur la nature d'une chose, sur ses tendances spontanées. Pour Eric Weil, la violence est la nature, sous le double visage du monde matériel et de l'élément « pathologique » (au sens stoïcien et kantien) en l'homme.

La meilleure critique *interne* qu'on ait faite du manichéisme logique (présent chez plus d'un philosophe) en est la réduction à l'absurde opérée par Jacques Derrida. Cette critique est aujourd'hui plus connue sous l'appellation de la *déconstruction,* surtout d'ailleurs dans des milieux de critique littéraire auxquels les exercices dialectiques sont peu familiers. Derrida, au début de son itinéraire, parlait plus de la « différance » que de la « déconstruction » [17]. Il indiquait ainsi très directement que son propos était bien de manifester la « violence » inhérente aux opérations d'identification de la « raison ». Dans la phrase précédente et dans ce qui suit, il convient de mettre des guillemets à *raison* et *violence* pour rappeler que le philosophe les entend dans un sens spécial : la « raison » est l'Autre de la violence, la « violence » est l'Autre de la raison. Si vous les preniez au sens habituel, sans guillemets, la dialectique ne se mettrait pas en place.

La dialectique résulte de ce qu'un même terme (la « vio-

---

17. *Note sur la déconstruction.* Chez Heidegger, le mot *Destruktion* (ou *Abbau*) désigne une étape nécessaire de la *phenomenologische Konstruktion des Seins* : le but de la destruction d'une conceptualité métaphysique héritée de la tradition est de retrouver le sol des expériences originaires (cf. *Die Grundprobleme der Phänomenologie,* Francfort, Klostermann, 1975, pp. 29-32). Lorsque le mot est privé de son contexte philosophique, comme cela est le cas dans la critique littéraire américaine, il finit par désigner une méthode de lecture paradoxale de tout ce qui peut être considéré comme un « texte ».

On suivrait d'ailleurs plus volontiers les praticiens de la déconstruction littéraire dans le détail de leurs « lectures » s'ils ne nous donnaient pas trop souvent l'impression d'avoir eux-mêmes introduit le manichéisme logique dans le texte à lire. Quant aux philosophes de cette école, ils seraient sans doute plus convaincants s'ils acceptaient de distinguer la « raison » dont parlent certains philosophes rationalistes (dont Eric Weil, mais d'autres aussi) et la raison dont nous faisons preuve, eux comme chacun, dans nos moments raisonnables ordinaires.

lence ») doit être pris tantôt comme le négatif de son Autre (à savoir, de la « raison ») et comme son complémentaire déterminé dans un couple. Aussi l'opposition de la « raison » et de la « violence » doit-elle se déconstruire par le raisonnement suivant : le rationaliste classique croit pouvoir définir la « raison » par elle-même (donc, sans son Autre) ; il parlera par exemple de cohérence, d'opposition entre une affirmation et une négation ; mais la « violence », étant l'Autre de la « raison », ne peut pas lui être étrangère, dès là que cette « raison » correspond à une exclusion de la « violence », à une volonté de ne pas céder à la « violence » ; la « raison », justement parce que tout son sens est de ne pas être la « violence », a son origine dans la « violence » ; la *raison* de la « raison » est la « violence », puisque la « raison » fait « violence » à la « violence » en choisissant (sans raisons) d'être la « raison ».

On voit comment le fameux « binarisme » dont on crédite la méthode structurale des linguistes et des anthropologues doit être plutôt cherché dans le manichéisme logique. C'est d'ailleurs bien Eric Weil qui écrit : « En un mot, le sens, tout sens, a son origine dans ce qui n'est pas sens et n'a pas de sens — et cette origine ne se montre qu'au sens développé, au discours cohérent » [18]. On voit comment cette phrase pose entre les deux termes une certaine hiérarchie (le sens a la priorité, puisqu'il est la condition de la manifestation du non-sens) et commence à la « déconstruire » (en suggérant que le sens ne fait justement sens qu'en s'arrachant au non-sens, qui doit maintenant être reconnu comme l'origine du sens, et donc le *sens* du sens).

Bataille se sert du couple conceptuel que Durkheim avait placé au principe de l'analyse des représentations collectives : le sacré et le profane. Ce qui compte pour le sociologue est, bien sûr, le contraste des deux, donc le pouvoir qu'a cette relation d'en engendrer d'autres (et d'organiser ainsi les catégories du système collectif de classification). Le sacré et le profane forment un couple conceptuel. Il y a la possibilité de se livrer à des activités profanes pendant les jours ouvrables parce qu'il y a, bien distincts, les jours fériés. Si l'on n'a pas fixé les jours de fête, les lieux de culte, les mots de révérence, ainsi que les dates néfastes, les zones impures, les grands blasphèmes, on ne sait

---

18. *Logique de la philosophie,* Paris, Vrin 2ᵉ édition, 1967, p. 61.

pas non plus quels sont les temps ordinaires, les espaces profanes, les mots du commerce quotidien.

Mais Bataille croit devoir se mettre en règle avec les philosophes. Pour cela, il essaie d'assimiler la sphère profane de l'existence au *monde de la raison,* et la sphère sacrée au *monde de la violence* [19]. Le résultat est que la violence devient, tout comme le sacré, une condition de la vie humaine. Le philosophe qui choisit la raison contre la violence fait figure de « platonicien », d'« ascète », d'ennemi de la vie.

Chez Bataille, en somme, un appareil conceptuel emprunté à la philosophie de l'esprit de l'idéalisme allemand sert à traduire en termes phénoménologiques (ou de psychologie du vécu, de l'« expérience intérieure ») les grands thèmes sociologiques de Durkheim et de Mauss. Conceptuellement, le mélange ne pouvait qu'être instable. La pensée de Bataille subit le destin de tous les romantismes. Il n'a d'ailleurs pas manqué de l'apercevoir. Dans un article sur la poésie de William Blake, il explique que la poésie ne peut pas viser à la fois la « souveraineté » (c'est le terme de Bataille pour ce que le sociologue appelle l'individualisme) et le « sacré » ou le « mythe ». Ici, Bataille va dans le sens d'une sociologie du romantisme :

> « La mythologie de Blake introduit généralement le problème de la poésie. Lorsque la poésie exprime les mythes que la tradition lui propose, elle n'est pas autonome, elle n'a pas en elle-même la souveraineté. Elle illustre humblement la légende dont la forme et le sens existent sans elle. Si elle est l'œuvre autonome d'un visionnaire, elle définit des apparitions furtives qui n'ont pas la force de convaincre et n'ont de sens vrai que pour le poète. Ainsi, la poésie autonome, fût-elle apparemment créatrice de mythe, n'est-elle en dernier lieu qu'une absence de mythe » [20].

Baudelaire avait une fois défini le dandysme littéraire comme « la grandeur sans convictions ». C'est justement la difficulté que Bataille rencontre chez les poètes modernes, et d'abord en lui-même : on voudrait prononcer les puissantes paroles du mythe, mais c'est un individu qui parle, ce sont ses images qui

---

19. Lors d'une conférence que présidait justement Eric Weil, Bataille indique qu'il lui a emprunté le terme de *violence,* et s'inquiète de savoir s'il l'a pris dans le même sens que Weil. En réponse, ce dernier approuve cet emploi (cf. G. Bataille, *Œuvres complètes,* Paris, Gallimard, t. VII, 1976, p. 422).

20. *La littérature et le mal,* Paris, Gallimard, 1957, p. 91.

lui viennent, ses vers qu'il récite, sans que le groupe l'ait investi de pouvoirs, de sorte qu'il ne parvient même pas à se convaincre lui-même de sa vision. Bataille se découvre ici menacé par le dandysme littéraire.

On retrouve d'ailleurs quelque chose de semblable chez le jeune Caillois. Sa contribution au manifeste du Collège de sociologie présente les symptômes du dandysme cette fois politique, soit d'une recherche de la grandeur, par une action de type politique, en l'absence de convictions collectives. Il est frappant que Caillois, dans « Le vent d'hiver », parle du « destin de l'individualisme ». La civilisation européenne, explique-t-il, culmine vers la fin du siècle dernier dans l'individualisme moral et esthétique. Caillois s'avoue fasciné, comme tout le monde, par les « grands individualistes » qui ont fait sécession et renié les valeurs mensongères du groupe. Il évoque ensuite les graves problèmes de l'heure — échec du libéralisme économique, dangers de la situation politique en 1937 —, mais aussi ce fait préoccupant : l'essai d'une pensée libre et souveraine n'a jusqu'ici jamais conduit encore à l'existence souveraine et à l'affirmation de la vie. Elle a mené les uns à l'effondrement mental, les autres à se complaire dans des jeux littéraires futiles. Caillois esquisse alors la charte d'une alliance des grands individualistes. Les esprits libres doivent cesser de se poser solitairement contre les valeurs sociales. Ils doivent les utiliser pour sauver l'esprit de rébellion lui-même. Ils formeront un groupe pour mobiliser la société.

> « A la constitution en groupe préside le désir de combattre la société en tant que société, le plan de l'affronter comme une structure plus solide et plus dense tentant de s'installer comme un cancer au sein d'une structure plus labile et plus lâche, quoique incomparablement plus volumineuse. Il s'agit d'une démarche de *sursocialisation,* et, comme telle, la communauté envisagée se trouve naturellement déjà destinée à sacraliser le plus possible, afin d'accroître dans la plus grande mesure concevable la singularité de son être et le poids de son action »[21].

On voit bien comment le projet d'une « sursocialisation » répond en partie aux circonstances, à la constatation désespé-

---

21. « Le vent d'hiver », dans : R. Caillois, *Approches de l'imaginaire,* Paris, Gallimard, 1974, pp. 76-77, ou bien dans Hollier, *op. cit.,* pp. 82-83.

rante d'une absence de réaction, d'une indécision française catastrophique alors que s'annonce la terrible épreuve de force[22]. Mais on doit remarquer la façon dont se trahit la contradiction de la pensée de Caillois à cette époque. Il se sert en effet, dans le passage cité, de la distinction que font les sociologues, à la suite de Tönnies, entre la société (*Gesellschaft*) et la communauté (*Gemeinschaft*). Pour un intellectuel libéral, pour l'héritier des Lumières, le sens de l'histoire est que la société supplante finalement la communauté. Les êtres humains ne doivent pas être réunis par l'origine (société « close »), mais par le fait d'appartenir sur un pied d'égalité à l'espèce humaine et de s'associer en vue d'objectifs raisonnables (société « ouverte »). Pour le dire autrement : tout ce qui était seulement *social* ou traditionnel doit devenir *politique* et rationnel. Or Caillois se contente de renverser cet ordre : il appelle les intellectuels émancipés à former une *communauté* qui rendra son énergie à la *société*. Cette inversion désastreuse des catégories sociologiques serait virtuellement totalitaire si elle devait donner lieu à une action : si Caillois, au lieu de faire preuve de dandysme politique, avait ici les convictions requises. Par définition, la communauté ne peut être que donnée aux individus ou trouvée par eux. Seule la société peut être construite. En renversant l'ordre conceptuel, Caillois rédige en fait le programme d'une *secte*. Il le sait d'ailleurs et le dit lui-même : sa communauté sera formée par agrégation sur la base des « affinités électives ». Les membres seront à la fois candidats et cooptés, comme dans un club ou une académie. Mais le but n'est pas de former un club d'intellectuels. Le but, celui d'une communauté élective, est une contradiction dans les termes.

Les sociologues ne s'y sont pas trompés. Ainsi, Michel Leiris a bientôt fait une objection capitale à Bataille : on ne peut pas à la fois se réclamer de la sociologie et retomber dans un mode de penser présociologique. Il rétablit fort bien les choses quand il écrit dans une lettre :

---

22. De la « Déclaration du Collège de sociologie sur la crise internationale » faite en 1938 (après les accords de Munich), retenons ce jugement : « Le *Collège de sociologie* regarde l'absence générale de réaction vive devant la guerre comme un signe de *dévirilisation* de l'homme. Il n'hésite pas à en voir la cause dans le relâchement des liens actuels de la société, dans leur quasi-inexistence, en raison du développement de l'individualisme bourgeois » (dans Hollier, *op. cit.*, p. 103).

« En ce qui concerne la fondation d'un ordre, elle me paraît de toute façon prématurée tant que nous n'avons pas réussi à définir une doctrine. On ne fonde pas un ordre pour qu'il en sorte une religion ; c'est, au contraire, au sein des religions que se fondent les ordres »[23].

Quant à Mauss, il discerne chez le jeune Caillois les effets d'un philosophisme. Dans une lettre où il le remercie pour l'envoi du *Mythe et l'homme* (paru en 1938), Mauss approuve le travail mythologique de Caillois, mais il en réprouve la philosophie irrationaliste (« probablement, écrit-il, sous l'influence de Heidegger bergsonien attardé dans l'hitlérisme ») :

« Autant je suis persuadé que les poètes et les hommes de grande éloquence peuvent quelquefois rythmer une vie sociale, autant je suis sceptique sur les capacités d'une philosophie quelconque, et surtout d'une philosophie de Paris, à rythmer quoi que ce soit »[24].

---

23. Lettre à Bataille du 3 juillet 1939 (dans Hollier, *op. cit.*, p. 549).
24. Lettre de M. Mauss à R. Caillois du 22 juin 1938 (dans : *Roger Caillois, Cahiers pour un temps, op. cit.*, p. 205).

5. LA MÉTAPHYSIQUE DE L'ÉPOQUE

> « Sous le masque de l'*information,* le principe de raison suffisante régit toutes nos représentations et caractérise ainsi l'époque présente comme une époque où tout dépend de la fourniture d'énergie atomique. »
>
> HEIDEGGER, *Conférence* sur le principe de raison, tr. A. Préau, p. 260.

Dans son cours de 1955-1956 sur le principe de raison suffisante, Heidegger en vient à évoquer ces platitudes qu'on peut trouver dans les « magazines illustrés », dans les organes d'« information ». On y lit par exemple : l'humanité est entrée dans l'ère atomique.

> « L'homme caractérise une époque de son existence historique et spirituelle (*eine Epoche seines geschichtlichgeistigen Daseins*) par la mise à sa portée d'une énergie naturelle et par la pression qu'il en subit »[1].

Ce cliché des éditorialistes ou des futurologues du moment, Heidegger ne le condamne pas. Il lui trouve un sens plus profond. En effet, dit-il, ce n'est pas la culture contemporaine qui marque l'époque d'un trait décisif, mais c'est cette découverte de la possibilité d'exploiter une nouvelle énergie. Heidegger consent ici à ce qu'une époque, la nôtre au moins, soit saisie par un événement qui affecte d'abord le rapport de l'espèce humaine à la nature. Ce n'est pas qu'il écarte les autres mutations remarquables de notre temps, celles qui ont lieu en dehors des sciences et des techniques. Dans son cours, le philosophe aura l'occasion de mentionner l'art abstrait (pour le rattacher expressément à l'âge atomique) et la guerre froide (qui, elle aussi, provient du principe de raison déjà responsable de la science atomique, mais cette fois en passant par le fait que le marxisme, étant un matérialisme *dialectique,* ne se conçoit pas hors du rationalisme hégélien). Heidegger n'envisage pas

---

1. *Le principe de raison,* tr. André Préau, Paris, Gallimard, 1962, p. 93.

qu'une époque historique, la nôtre ou les autres, doive être saisie plutôt dans la structure qu'y prennent les rapports humains. Le rapport de l'*homme moderne* à la *nature* passe avant les institutions humaines. Soit dit en passant, cette priorité donnée au chapitre de l'homme et la nature sur le chapitre de l'homme et l'homme est elle-même bien moderne. Elle se retrouve dans toutes les conceptions de l'*homo œconomicus*. Peut-être trouve-t-on ici la passerelle qui a permis à des gens de formation marxiste de se replier sur des positions heideggeriennes : dans le *topos* de la Technique moderne comme accomplissement de la métaphysique occidentale, ils retrouvaient par des voies imprévues quelque chose du primat marxiste des forces productives sur les rapports de production.

L'argument de Heidegger est celui-ci : Nous sommes en effet à l'âge atomique parce que nous avons la physique atomique et ses applications. Mais d'où vient cette physique ? Elle suppose une métaphysique.

Ce dernier point, au moins, serait incontestable si l'on pouvait entendre par là : la physique, et toute science, supposent une métaphysique de son objet. Le système conceptuel et les principes qu'utilise la physique sont une métaphysique de la nature, en ce sens que l'examen en revient plutôt à l'analyse philosophique qu'à la recherche physique proprement dite. La métaphysique présupposée par la physique tient alors dans la discussion de questions portant sur la causalité, le temps, l'espace, l'individualité, etc.

Pourtant, Heidegger ne rattache pas l'époque présente à une certaine métaphysique de la physique atomique. Il ne se demande pas, par exemple, ce qui distingue philosophiquement la physique qui rend possible l'utilisation des énergies atomiques de la physique qu'on avait à l'époque où l'on croyait que les atomes étaient bel et bien atomiques, insécables. Il ne se demande pas non plus si la science moderne appelle plutôt une métaphysique des substances ou une métaphysique des événements et des procès.

Heidegger laisse de côté la métaphysique encore spéciale que serait une philosophie de la physique, et rattache directement l'époque atomique à un principe métaphysique qui se présente comme entièrement général : le principe de raison.

Heidegger n'a certes pas inventé le genre philosophique qu'il pratique ici. Avant lui, on a bien souvent essayé d'élever l'époque au concept philosophique. Mais la manière heidegge-rienne est si typée qu'on doit la mettre à part. On peut lui réserver l'appellation de *pensée épochale*. A la question : Quelle est l'idée de l'époque ?, les philosophes ont le plus souvent répondu en s'adressant à l'un ou l'autre des registes de ce que Heidegger écarte ici sous le nom de « culture ». L'idée d'un temps, c'est par exemple l'idée de la liberté de conscience, ou l'idée du bonheur. J'ai cité plus haut ce texte où Baudelaire dit qu'en regardant des gravures de mode on peut retrouver la pensée philosophique dont l'époque était le plus occupée ou agitée. Ces gravures se rangent dans le domaine de la peinture de mœurs. Baudelaire croit donc qu'une compréhension du temps passe par une description des mœurs. C'est aussi l'opi-nion des historiens dont les intérêts s'étendent au-delà de la stricte histoire politique. Toutes ces tentatives de penser une époque ont donc un moment *ethnographique,* si l'on entend par là le moment de la description des mœurs et des usages, des règles et des institutions. La pensée épochale écarte tout ce qui toucherait aux mœurs, tout ce qui serait *éthique*. La pensée épochale veut établir une relation entre une mutation de l'exis-tence humaine et une proposition métaphysique énoncée par un philosophe. Désormais, le principe de raison suffisante n'est plus une simple pensée de Leibniz : sinon, il faudrait attribuer à ce grand penseur un rôle démiurgique. Le principe leibnizien n'est pas une idée dont le philosophe aurait réussi à persuader ses lecteurs. Ce n'est pas non plus une idée de l'époque, une idée de tout le monde que Leibniz aurait seulement tirée du sens commun pour l'énoncer explicitement.

En fait, Leibniz souligne parfois le côté raisonnable de son principe en le rapprochant d'idées communes, qui en sont comme des cas particuliers. Dans une lettre à Arnauld[2], il distingue l'axiome vulgaire : *Rien n'arrive sans raison,* et son « grand principe », qu'il énonce en termes logiques (pour toute proposition vraie, il y a une raison suffisante de la vérité de l'attribution du prédicat à la chose qui en est le sujet). Son principe n'est pas limité à ce qui arrive, aux événements contingents, donc à la physique. Etant logique, son principe a une portée générale. C'est pourquoi Leibniz l'appelle son « grand principe ».

---

2. Lettre de Leibniz à Arnauld du 14 juillet 1686, citée par Heidegger, *ibid.,* p. 250.

On doit donc se garder de réduire le principe de raison au principe de causalité. Ce dernier n'en est qu'une application aux événements. Heidegger explique très bien cette différence entre les deux principes quand il dit : S'il y a un principe de raison suffisante, alors il faut qu'il y ait une raison suffisante de ce principe[3]. On ne pourrait pas dire de même : S'il y a un principe de causalité, il faut qu'il y ait une cause de ce principe. Mais, en parlant de ces principes, nous disons à chaque fois : *Il y a* un principe tel que le principe (de raison ou de causalité). C'est une assertion d'existence. Cette sorte d'existence, étant idéale, est sans cause, mais non pas sans raison. Elle est la même existence que celle qu'attribuent les géomètres quand ils disent qu'il y a une droite ayant telle propriété, qu'il y a un lieu des points répondant à telle condition. Aucune causalité ne peut être invoquée ici. Pourtant, on pose bien *quelque chose,* on lui attribue, non l'existence physique, mais un certain être (une certaine *entitas*). Et cela suffit pour que le principe de raison, s'il y en a un, entre en application. Dans l'école rationaliste qui s'est fondée elle-même sur le principe de raison suffisante, on considère que les principes qui valent pour n'importe quelle chose, réelle ou possible, donnent lieu à un exposé méthodique qui est appelé, dans cette école, *ontologie*[4]. C'est bien ce qu'indique le titre du traité que Christian Wolff publie en 1736 : *Philosophie première ou Ontologie, traitée selon la méthode scientifique, où sont contenus les principes de toute la connaissance humaine.* Au paragraphe 70 de ce traité, Wolff offre un raisonnement qui, dans son esprit, prouve le principe de raison suffisante. C'est le trait propre de l'école rationaliste que de reconnaître un principe de raison suffisante *et* de le considérer comme un principe ontologique, comme une loi de l'être. Ce sont les deux faces d'une même thèse : Il y a une ontologie parce qu'il y a des principes qui valent pour tout ce

---

3. *Ibid.,* pp. 59-60.
4. Dans tout cet essai, je prends le terme « rationalisme » dans son sens doctrinal : un penseur rationaliste est un partisan du principe de raison suffisante, il croit que la raison pure est une source de connaissances nécessaires. Le mot est également employé dans un sens non doctrinal, pour une façon de concevoir le travail et la communication en philosophie : être rationaliste, c'est alors accepter qu'on vous fasse des objections et prendre la peine d'y répondre par de meilleurs arguments, *ou,* sinon, de corriger ses thèses. J. Bouveresse entend ainsi le terme dans *Rationalité et cynisme* (Paris, Minuit, 1984). Cette conception de la manière de philosopher, que je partage, je l'appelle ici « pensée argumentative ».

qui est, et, réciproquement, il y a des principes absolument universels parce qu'il y a une ontologie, une science de ce qui est *pris en général* (*scientia entis in genere*) ou *comme étant un étant* (*seu quatenus ens est,* comme l'écrit Wolff à la première page de son travail).

C'est ici le premier point remarquable : Heidegger ne met pas un instant en doute qu'*il y ait* un principe de raison suffisante, comme l'a soutenu l'école rationaliste. D'autres philosophes ont pu ignorer ce principe ou, après Leibniz, ne pas le recevoir. La pensée épochale n'en tient aucun compte. Pour elle, ce principe fondamental de la métaphysique occidentale n'est énoncé qu'au XVIIᵉ siècle par Leibniz : mais il était à l'œuvre depuis le commencement de la philosophie. La métaphysique générale, ou ontologie, de la Scolastique allemande tardive s'en trouve ainsi légitimée : elle est ce vers quoi tendait tout l'effort des philosophes, ce qui pointait déjà chez Platon et Aristote. Et en effet, pour qu'on puisse rapporter un *temps* à ce qui se dit de l'*être* à l'époque, il faut bien qu'il y ait la possibilité de tenir le discours de l'ontologie générale.

Heidegger insiste sur ceci : tant qu'on considère le principe de Leibniz sous sa forme « vulgaire » (à savoir : *nihil est sine ratione,* rien n'est sans raison), on ne voit pas pourquoi il faudrait le dire « grand » et « puissant ». Or Leibniz en donne une formulation qui doit faire autorité (au moins quant à la pensée de Leibniz) et que cite Heidegger[5] : *Quod omnis veritatae reddi ratio potest* (qu'on peut rendre la raison de toute vérité). Leibniz désigne le principe ainsi formulé par l'appellation : *principium reddendae rationis.* Et ce qui va maintenant soutenir tout le commentaire de Heidegger, c'est justement le fait que Leibniz appelle son principe *principium reddendae rationis.* Cette appellation latine, Heidegger la traduit : « le principe de la raison qu'il faut rendre ».

> « La *ratio* est *ratio reddenda,* ce qui veut dire : la raison est une chose qui doit être fournie à l'homme qui se représente, qui pense »[6].

Il accentue alors dans le titre du principe ce qui enveloppe une notion de dette ou de réquisition (*principium REDDENDAE*

---

5. *Ibid.,* p. 79.
6. *Ibid.,* pp. 82-83 (« doit être fournie » traduit *zugestellt werden muß*).

rationis). La raison de toute vérité *doit* être rendue. Il le faut. Autrement dit, le principe énoncé par Leibniz nous *appelle* à rendre raison des vérités.

Dans la suite de son cours, Heidegger n'a plus affaire à une phrase de Leibniz qui proposerait une pensée. Le principe n'est plus une *proposition philosophique,* au sens où les propositions philosophiques doivent être philosophiquement justifiées, tantôt par leurs relations avec d'autres propositions philosophiques, tantôt dans leur propre construction propositionnelle. Par exemple, Heidegger n'examine pas si le principe leibnizien résulte de cet axiome logique : *Predicatum inest subjecto* (« le prédicat est compris dans la notion du sujet »), ce qui était pourtant le point décisif aux yeux d'Arnauld. Heidegger, ayant souligné que la *ratio* était qualifiée de *reddenda,* estime peut-être avoir assez montré par là en quoi la phrase de Leibniz était, en même temps qu'une proposition de philosophe, une *parole de l'être.* Dans cette phrase, un appel se ferait entendre et qui aurait trait à la façon dont nous devons penser l'être. Le principe nous parle pour nous enjoindre de soumettre notre pensée à la recherche illimitée du *pourquoi.*

Plusieurs lecteurs de Heidegger le suivent sur ce point et même renchérissent. Ainsi Derrida écrit-il à ce propos :

> « Outre tous les grands mots de la philosophie qui en général mobilisent l'attention — la raison, la vérité, le principe — le principe de raison dit aussi que *raison doit être rendue* (...) On ne peut pas séparer la question de cette raison de la question portant sur ce "il faut" et sur le "il faut *rendre*". Le "il faut" semble abriter l'essentiel de notre rapport au principe. Il semble marquer pour nous l'exigence, la dette, le devoir, la requête, l'ordre, l'obligation, la loi, l'impératif. Dès lors que raison peut être rendue (*reddi potest*), elle le doit » [7].

Or ce tout dernier commentaire de Derrida marque bien, en effet, le point délicat. *Dès lors que raison peut être rendue, elle le doit* ! Comment expliquer ce saut dans les modalités ? Depuis quand la possibilité de quelque chose suffit-elle à en déterminer la nécessité ? Cette transition est plus étonnante encore que celle de la preuve dite ontologique (qui fait passer de « Dieu existe possiblement » à « Dieu existe nécessairement »). Car on voit

---

7. « Les pupilles de l'Université (le principe de raison et l'idée de l'Université) », *le Cahier du collège international de philosophie,* 1986, n° 2, pp. 15-16.

ici s'ajouter à la transition illégitime d'une modalité faible à une forte, une surcharge personnelle (« destinale ») de la nécessité en question. Non seulement raison *doit* être rendue puisqu'elle le *peut,* mais ce « doit » s'adresse à nous (sans qu'on sache bien d'ailleurs si l'appel nous mobilise pour exiger que tout se justifie devant nous, ou si c'est pour que nous justifions toute chose devant la Raison).

On dira que le passage inquiétant du « peut » au « doit » est justement dans le texte de Leibniz. Mais Heidegger, lui, se garde bien d'user d'un si faible argument. Car où croit-on trouver un *doit* dans le texte de Leibniz ? Tous les énoncés qu'il donne du principe, ici comme ailleurs, parlent d'une raison qui *peut* être rendue. Elle peut l'être en droit, en vertu de la thèse ontologique : il n'est même pas sous-entendu que nous puissions, avec nos entendements finis, découvrir ces raisons (qui sont pourtant là). Mais la notion d'obligation n'est-elle pas présente dans l'appellation du « grand et puissant principe » : *principium* REDDENDAE *rationis* ? En effet, l'adjectif verbal latin marque l'action à accomplir, et signifie souvent l'obligation ou la tâche. Mais on sait qu'il est également employé avec le sens plus faible de la simple possibilité[8].

Heidegger, par le côté délibérément excessif de sa traduction interprétative, semble vouloir attirer notre attention sur un excès qui est dans la chose même à interpréter, à savoir, la métaphysique occidentale. La démesure de la métaphysique exige du traducteur qu'il choisisse toujours le sens le plus grave, le plus difficile, le plus chargé de conséquences. Cette soudaine montée aux extrêmes est un trait constant de la pensée de Heidegger et de ses disciples. Si une chose (touchant à la métaphysique) est présentée d'abord comme possible, elle sera présentée ensuite comme inévitable. Tout se passe comme si la mention d'un possible par un philosophe était reçue comme un défi par ses successeurs. S'il se trouve un philosophe pour dire que telle chose est possible *en soi* (ou pour la puissance absolue de Dieu), il se trouvera un autre philosophe pour avancer que

---

8. A. Ernout et F. Thomas écrivent : « Par affaiblissement, l'adjectif en -*ndus* de plusieurs verbes marquait une simple idée de *possibilité* comme l'adjectif en -*bilis* : *amandus* (= *amabilis*), "aimable" ; *horrendus* (= *horribilis*) ; "effroyable" ; *miserandus,* "pitoyable" ; *contemnendus, spernendus,* "méprisable" ; plus tard, *adorandus, exsecrandus, uenerandus,* etc. Avec cette valeur, il se rencontre surtout comme épithète : Cic., *Ph.* 2, 15 : *o impudentiam... non ferendam !,* "impudence intolérable !". » (*Syntaxe latine,* Paris, Klincksieck, 2ᵉ éd., 1953, p. 287.)

c'est déjà possible maintenant, *pour nous*. Si quelqu'un pose un résultat comme atteint *à la limite* d'une progression infinie, il se trouvera quelqu'un d'autre pour dire qu'on doit *passer* à cette limite : ce que le premier présentait en fait comme impossible, le second le présente comme déjà accompli.

Je ne veux nullement nier qu'il y ait en effet une *hybris* à l'œuvre dans plusieurs secteurs de la métaphysique moderne. On doit attacher de l'importance au fait que les plus grands penseurs de l'époque paraissent engagés dans une course où ils ne cessent de se « dépasser » les uns les autres. Louis Dumont a attiré l'attention sur la place du mot *Steigerung* (et de la chose, qu'il appelle « intensification ») dans la pensée littéraire et philosophique de l'Allemagne à l'âge du romantisme[9]. Il semblerait que les esprits soient sous l'injonction d'un appel à *radicaliser* toujours plus leurs tentatives, à *intensifier* leurs ambitions, à *transgresser* les limites posées à la finitude humaine par leurs prédécesseurs. Chacun se conduit comme si son plus illustre prédécesseur était un rival sur lequel il faut l'emporter par une surenchère : un point de départ plus radical, une percée plus « originelle », une totalisation plus englobante. Les historiens qui racontent ces séquences (de Kant à Marx en passant par les idéalistes, de Husserl à Heidegger en passant par Scheler) adoptent souvent le point de vue des intéressés. Depuis, comme le souligne Louis Dumont, le procès de *Steigerung* s'est étendu à toute la culture européenne. C'est qu'il est l'expression des forces vives de cette culture : d'un côté, la poussée individualiste se traduit par une exaltation dangereuse de l'auteur aux dépens du public et de ce qu'on pourrait appeler l'ancienne civilité littéraire (celle qui suppose qu'on écrit pour être lu) ; de l'autre, la situation intellectuelle générale est celle d'une intense rivalité des cultures nationales (on sait que le nationalisme commence dans la littérature). Si l'on regardait sous ce jour les grands concepts de l'idéalisme allemand, on verrait que non seulement ils se dépassent les uns les autres (l'Esprit enchérit sur le Moi, la Praxis sur le Concept, etc.), mais qu'ils surmontent souvent les notions jugées plates ou étroites des autres cultures nationales : la raison comme *Vernunft* est plus forte que la raison comme *understanding,* la

---

9. « Are cultures living beings ? German identity in interaction », *Man* (NS), 21, 1986, p. 597.

liberté comme *Selbstbestimmung* surmonte la liberté comme *libre arbitre,* l'art comme puissance du *génie* l'emporte sur l'art comme simple *talent.* Dans ce dernier cas, les circonstances de la *Steigerung* sont d'ailleurs bien connues : il s'agit, comme le dit le titre de Herder, des *Moyens d'éveiller le génie en Allemagne* (1767), autrement dit, des moyens d'y développer une littérature *nationale* libérée du modèle classique français[10]. L'intérêt évident d'une analyse comme celle de Dumont est qu'elle nous évite d'attribuer les excentricités du style ou de la pensée des auteurs de cette époque à des traits fâcheux de leurs personnalités, ou bien d'accuser en général « l'époque ». En fait, le phénomène n'est pas individuel, mais collectif. Les traits du style littéraire ou philosophique doivent faire l'objet d'une sociologie, qui analyserait les diverses interactions, entre les individus au sein d'un même milieu, entre ce milieu et la culture nationale dont il fait partie, entre les intellectuels d'un pays et les autres cultures nationales.

Est-ce que la pensée de Leibniz est déjà soumise à l'impératif de la surenchère et de la montée aux extrêmes ? Est-ce que nous devons, si nous voulons penser sérieusement, lire son texte en fonction de ce que d'autres après lui pourront en tirer ?

L'*herméneute* des textes philosophiques croit devoir lire ainsi. Aussi délaissera-t-il la phrase de Leibniz comme proposition philosophique (ce qu'elle est manifestement, pour lui aussi) et ne se préoccupera-t-il que de ce qui, en toute rigueur philologique, n'y est pas : un *appel* à penser quelque chose au sujet de l'être (à penser que tout ce qui a l'*être* a, du même coup, une *raison* d'être et qu'il est donc destiné par l'« être » à se voir interroger, disséquer, analyser et calculer par la « raison »). A cet appel, nous dit l'herméneute qui tente de définir la pensée épochale, il n'est pas question de se dérober. Traiter le texte de Leibniz comme un texte de propositions philosophiques, ce serait justement tout à la fois se dérober (devant la tâche) et sombrer dans la plus grande illusion (croire qu'on va se soustraire à l'appel de l'« être » par des finesses philosophiques).

> « Le *reddendum,* cet appel à fournir la raison, parle mainte-
> nant, sans cesse et sans discussion possible (*spricht jetzt unab-*

---

10. Voir Pierre Grappin, *La théorie du génie dans le préclassicisme allemand,* Paris, P.U.F., 1952.

dingbar und unablässig), d'un bout à l'autre de l'époque moderne (*die Neuzeit*) et encore par-delà nous-mêmes, les hommes d'aujourd'hui (*über uns Heutige*) » [11].

Pourquoi l'appel est-il *unabdingbar* (ce que Préau traduit par : « sans discussion possible ») ? Pourquoi a-t-il ce caractère d'une réquisition « inaliénable », « inconditionnelle », sur laquelle il n'est pas possible de composer ou de transiger ? Voilà bien le « cercle herméneutique » : il y a cet appel inconditionnel, qu'on le veuille ou non, mais pourtant il n'« est » dans le texte que si vous acceptez d'abord de l'y « entendre ».

Toutes les raisons qu'on voudra nous donner d'interpréter « épochalement » le texte de Leibniz plutôt que de le discuter sont mauvaises. Est-ce qu'en pratiquant la philosophie sous une forme sobre, et mesurée par la seule qualité des arguments, nous montrons que nous n'avons vraiment rien compris de la violence qui agite l'époque ? C'est possible, mais ici encore le possible n'équivaut pas au nécessaire. Nous pouvons aussi vouloir pratiquer la philosophie, *bien que* le climat de l'époque soit plutôt à la harangue et à la boursouflure. Est-ce qu'en évitant la grandiloquence nous révélons notre propre *hybris,* de croire que nous allons ainsi, par la sobriété philosophique, *calmer le jeu* ? Peut-être, mais peut-être aussi préférons-nous la philosophie à l'*intensification* de notre pensée. Peut-être veut-on philosopher plutôt que surenchérir tout simplement parce qu'on a des questions philosophiques à poser : parce qu'on voudrait bien savoir, malgré tout ce que l'herméneute dit pour nous séduire, ce que dit le fameux principe quand il nous parle *philosophiquement* au lieu de nous vociférer le « sens de l'être ». Nous voudrions savoir si ce principe, d'ailleurs tardif, est ce que le rationaliste veut qu'il soit : un principe nécessaire à tous les raisonnements. Nous voudrions savoir pourquoi il nous faudrait un tel principe pour raisonner. Et si l'herméneute nous réplique qu'en posant des questions de ce genre nous nous démasquons comme sectateurs du principe de raison suffisante, nous lui demanderons de nouveau pourquoi. Mais, s'il nous dit maintenant qu'en posant *cette* question particulière : Pourquoi serions-nous rationalistes si nous demandons la raison du principe de raison, nous avons avoué nous-mêmes l'emprise du principe de raison en tant qu'il gouverne la question *Pourquoi,*

---

11. Heidegger, *op. cit.,* p. 83.

nous ne l'écouterons plus. S'il nous paraît seulement rusé, nous reconnaîtrons en lui le sophiste. S'il dit qu'il parle sérieusement, nous l'inviterons à philosopher avec nous avant de prendre part aux enchères de la radicalité épochale. Car tout le problème, par où le philosophe aurait dû commencer, était justement de savoir s'il est besoin de fonder nos questions *Pourquoi ?* sur un principe général, sur un principe qui nous garantisse *à l'avance,* hors de tout cas particulier, qu'on peut *toujours* demander la raison *suffisante* d'une vérité. Si l'herméneute croit vraiment qu'on n'a pas le droit de poser une question particulière avant d'avoir prouvé qu'on pouvait poser la même question dans tous les cas possibles, il est en plein accord sur ce point avec le rationalisme dogmatique. L'herméneute souffre peut-être d'avoir accordé trop de crédit aux prétentions de la *metaphysica rationalis.*

Ici, il importe de mesurer tout ce qu'on perd si l'on choisit la pensée épochale contre la pensée argumentative. On admettra que le défaut de l'interprétation heideggerienne est de ne mentionner qu'à peine le fait que la *ratio* qui est à rendre est une raison *suffisante* ou *déterminante.* L'importance de ce point n'apparaît bien sûr que si l'on considère le principe du point de vue de ses applications, ce qui est la seule manière philosophique d'examiner un principe (vu que, si c'est un principe, il n'est pas question de le *prouver*). Mais justement, Heidegger nous invite à aller vers l'origine du principe, au lieu de regarder les applications [12]. Pourtant, si le sens du principe ne se découvre vraiment que dans les applications, on ne peut espérer comprendre d'où vient le principe sans entrer d'un peu plus près dans les usages du principe. Il faut le saisir là où il travaille.

L'application majeure du principe de raison suffisante, on le sait, c'est son emploi pour concevoir une totalisation des existences contingentes en un seul monde bien lié selon la règle du *principe du meilleur.* Si Heidegger ne parle pas de la théodicée dans son cours, c'est apparemment qu'il croit détenir dans la version ontologique du principe toutes les applications possibles, physiques, cosmologiques, théologiques, morales, etc. Il vaut la peine d'y regarder de plus près.

La *Théodicée* traite en effet d'un cas particulier d'existence,

---

12. *Ibid.,* p. 145.

à savoir, les existences contingentes. Mais l'important est qu'elle en traite du point de vue de la justification. L'existence d'un monde qui contient le mal est-elle justifiée ? L'école rationaliste répond que ce monde, qui existe, doit être le *meilleur des mondes possibles,* en vertu du principe de raison *suffisante.* Sinon, si le monde qui existe n'était pas de tous les mondes possibles *le meilleur,* s'il n'existait pas un monde et un seul dans lequel le bien (ou la réalité) est maximisé tandis que le mal (ou le défaut) y est minimisé, si par conséquent le choix du monde à produire parmi tous ceux qui sont possibles n'était pas rationnellement limité à un unique cas d'*optimum,* alors la cause première de l'existence de ce monde n'aurait pas une raison qui *suffirait* à lui faire produire ce monde plutôt qu'un autre, ou plutôt que rien.

La *Théodicée* porte donc bien sur l'existence contingente, mais non sur l'existence en tant qu'existence, puisque c'est sur l'existence en tant que justifiée. Ce livre, écrit Leibniz dans la préface de son ouvrage, veut résoudre une question qui trouble la *source de la piété.* Cette question est manifestement : Comment le monde peut-il être dit beau et juste, puisque les iniquités n'y sont pas toujours châtiées et que les douleurs n'y sont pas toujours méritées. A cette question, je réserverai, pour faire court, le titre de « question de l'existence ». Et je parlerai de « question de l'être » pour les interrogations de Platon et d'Aristote sur le sens de mots tels que *est, n'est pas, existe, peut être, semble être, devient, cesse d'être,* etc. (mots que je cite en français parce qu'il s'agit ici de métaphysique, et non d'étymologie ou de philologie). Il saute aux yeux que la « question de l'existence », ainsi délimitée, ne ressemble pas à la « question de l'être ». Pourtant, la seule raison philosophique qu'on puisse avoir d'être heideggerien, c'est de juger que la question du « sens de l'existence » est incluse dans la question du « sens de l'être ». Car Heidegger est fondé à refuser qu'on lui accole l'étiquette « penseur existentialiste ». Heidegger est le contraire d'un existentialiste, si l'on entend par l'existentialisme la tendance à subordonner, voire à fondre, la « question de l'être » dans la « question de l'existence ». Le véritable existentialiste juge que les discussions proprement ontologiques sont oiseuses : elles nous détournent de notre véritable souci, qui est celui du sens à donner à notre vie. Or il est incontestable que Heidegger fait l'inverse : il subordonne la question « existentielle » à l'interrogation sur le « sens de l'être ». Il donne ainsi à entendre que les interrogations de la *piété* peuvent être reprises sur un mode philosophique rigoureux, par l'emploi de la description phénoménologique et de l'analyse conceptuelle. C'est là, nous dit Jean Beaufret, ce qui explique le statut élevé que l'on donne généralement à Heidegger : la philosophie heideggerienne transcrit en termes d'*être* et de *temps* les interrogations qu'on croyait réservées à la méditation religieuse.

> « Son attrait vient certainement de ce qu'elle s'attache à retrouver, sur le plan de la phénoménologie et dans l'axe d'une analytique rigoureuse, certains concepts fondamentaux dont la révélation religieuse s'était un peu trop complaisamment arrogé le monopole : le concept de chute, par exemple, celui aussi de faute ou encore de salut » [13].

Parler de question religieuse peut prêter à confusion dans un monde qui est habitué à concevoir la religion de quelqu'un comme l'ensemble de ses *croyances* relatives à un au-delà, à Dieu et aux esprits, etc. Mais cela, c'est le point de vue philosophiste. Les théologiens, eux, nous rappellent que la *piété,* qui est au cœur de la vertu de religion, est une partie de la *justice* et non de la *foi.* La piété consiste à payer sa dette de justice dans un monde qui est lui-même juste. La piété suppose qu'il y ait une justice du monde (d'un monde qui n'est pas encore divisé en monde naturel et monde humain). L'impiété n'est concevable que si le monde a cessé d'être compris comme ordonné par une justice plus puissante que nos initiatives.

Parmi les philosophes modernes, c'est Nietzsche qui a le mieux détaché la « question de l'existence » comme étant tout à la fois la question pour lui la plus sérieuse de la philosophie *et* l'interrogation sur notre propre piété, ou notre propre impiété (qu'il appelle *nihilisme*). Dans son essai sur *Schopenhauer éducateur,* il se moque des Allemands qui croient que la « philosophie pessimiste » vient d'être réfutée, car on a appris dans le journal d'excellentes nouvelles : un Empire allemand a été fondé à Versailles. Ainsi, les choses vont mieux, il n'est plus temps de nourrir de sombres pensées sur l'existence (*Dasein*). Ces gens, dit Nietzsche, confondent le sérieux de la philosophie et le sérieux du journal.

---

13. « A propos de l'existentialisme » (1945), dans : Jean Beaufret, *Introduction aux philosophies de l'existence,* Paris, Denoël/Gonthier, 1971, pp. 41-42.

> « Ces gens-là ont perdu le dernier vestige, non seulement de toute pensée philosophique, mais de toute pensée religieuse (*religiöse Gesinnung*), et en lieu et place, ce qu'ils ont acquis, ce n'est pas l'optimisme, c'est le journalisme, l'esprit — et l'absence d'esprit — du jour et des journaux. Toute philosophie qui croit qu'un événement politique puisse écarter, ou qui plus est résoudre, le problème de l'existence (*das Problem des Daseins*) est une plaisanterie de philosophie, une pseudo-philosophie (*Afterphilosophie*) » [14].

Nietzsche, pour qui le vrai problème du philosophe est celui de la valeur de l'existence, accorde à Schopenhauer une importance que Heidegger lui refuse. L'étrange est que Heidegger nous invite à lire Nietzsche comme si, dit-il, il s'agissait d'Aristote : comme si Nietzsche, à la différence de Schopenhauer, s'était élevé de la question religieuse de l'« existence » à la question métaphysique de l'« être » [15]. Cette question philosophique portant sur la justification de l'existence reçoit, selon Nietzsche, des réponses philosophiques telles que l'optimisme de Leibniz ou le pessimisme de Schopenhauer. Elle reçoit aussi les réponses ridicules des philosophes frauduleux : Lisez le journal et vous y apprendrez ce qui justifie l'existence, ce qui était le but de toute l'histoire, la fondation d'un Etat ! On voit comment la réponse à la question religieuse (d'une religion qui peut très bien être *athée*) détermine tout de suite un ordre des fins, une échelle des valeurs, une hiérarchie des devoirs. Si l'existence est justifiée par la fondation de l'Etat, le plus haut devoir humain est de servir l'Etat. S'il y a des devoirs plus élevés que le service de l'Etat, c'est que le sens de toute l'existence doit être cherché ailleurs. Selon le philosophe éducateur, le plus haut devoir qui incombe à l'individu est de libérer son esprit. Il est éducateur s'il sait montrer comment l'idéal détermine « un nouveau cycle de devoirs » [16].

Il ne serait pas faux de dire que la « philosophie de l'existence » commence à pointer au moment où Leibniz écrit sa *Théodicée*. Il y explique en effet qu'il doit écrire ce livre de philosophie parce que les *formalités de la dévotion,* par quoi il

---

14. *Considérations inactuelles : Schopenhauer éducateur,* tr. H.A. Baatsch dans Nietzsche, *Œuvres philosophiques complètes,* Paris, Gallimard, t. II, 2, 1988, p. 41.
15. *Chemins qui ne mènent nulle part,* tr. W. Brokmeier, Paris, Gallimard, 1962, p. 205.
16. Nietzsche, *op. cit.,* p. 51.

entend les *cérémonies de la pratique* et les *formulaires de la croyance,* ne suffisent plus à assurer une *solide piété* [17]. Le moment est donc venu où les religions instituées commencent à perdre leur fondement dans les consciences : il ne va plus de soi que la piété, ou dette de justice, doive tenir dans des rituels et des croyances qu'on accuse de plus en plus d'être positifs ou « extérieurs », c'est-à-dire d'être imposés à l'individu par la communauté. La « question de l'existence » ne se posait pas en termes philosophiques tant que la *réponse* était publiquement présente, sous les espèces de la célébration en commun des mystères religieux du salut. Si elle se pose maintenant, c'est que de plus en plus l'individu est renvoyé à soi pour trouver par soi-même une réponse à la question : Qu'en est-il de notre piété ? Nietzsche écrit dans un fragment de la même période :

> « Manifestement, la plupart des hommes *ne* se considèrent *pas du tout* comme *des individus* ; leur vie le montre. L'exigence chrétienne, que *chacun* ait en vue sa béatitude et elle *seule* est en contradiction avec la vie humaine en général où chacun ne vit que comme un point parmi les points, non seulement pur et simple résultat des générations antérieures, mais encore ne vivant que dans la perspective des générations à venir. Il n'y a que trois formes d'existence dans lesquelles l'homme reste un individu : le philosophe, le saint et l'artiste » [18].

Ce texte montre bien comment il y a une question de l'« existence » chez les philosophes parce que l'exigence individualiste du *salut personnel* n'est plus enfermée dans la sphère religieuse. La « philosophie de l'existence » appartient à l'époque qui connaît le procès du désenchantement du monde.

On n'est pas surpris que la réponse de Nietzsche à la « question de l'existence » tienne, ainsi que le montre Clément Rosset, dans l'*expérience musicale* [19]. La musique a toujours fourni le vocabulaire qui permet d'exprimer au mieux ce que les philosophes appellent maladroitement l'attitude devant l'« exis-

---

17. Dans la première page de la préface des *Essais de théodicée.*

18. *Op. cit.,* p. 273, noté : 3(63).

19. « Car la musique est ce qui occupe tous les "centres nerveux" de la philosophie de Nietzsche, chez qui elle remplace exactement tout ce qui, dans tel ou tel autre système, est appelé à faire office de principe ou de fondement : elle est ce qui répond à toutes les questions et tient ainsi lieu à la fois de théologie, de métaphysique et de physique, elle est la Révélation première qui renseigne une fois pour toutes et suffisamment sur le sens, la cause et la fin de toute existence » (*La force majeure,* Paris, Minuit, 1983, pp. 45-46).

tence » ou le « projet fondamental » de quelqu'un. Les accords *bien tempérés* de la *musica instrumentalis* servent à penser la correspondance de la « température » et du « tempérament », du ciel et du cœur, de la *musica mundana* et de la *musica humana*[20]. Autrement dit, la musique permet de concevoir la réciprocité de l'humeur et de l'atmosphère. Une *Stimmung* particulière sera faite, côté homme, d'une certaine disposition d'esprit, et côté monde, d'une certaine disposition des choses. Chez Nietzsche, l'expérience musicale est une piété cosmique détachée de tout prétexte objectif, de tout alibi finaliste, car elle est une joie qui n'est pas atteinte par l'hypothèse d'un *chaos*. Elle est, si l'on veut, une joie mystique (au sens où l'on oppose l'amour « physique », qui maintient un souci de conservation de soi, et l'amour « mystique », qui accepte la perdition).

La pensée de Leibniz dans la *Théodicée* participe manifestement de cette tradition de l'*harmonia mundi*. Elle est la tentative d'une réponse, au seuil de l'âge moderne, à la vieille question de la justice du monde. Comment diverses existences peuvent-elles composer ensemble un monde qui soit beau (ou, en termes théologiques, qui fasse éclater la gloire de son créateur) ? Aussi le seul moment où Heidegger touche à ce dont il s'agit ici n'est-il pas dans ce qu'il dit de Leibniz, mais dans un aparté, au début de la neuvième leçon, où il cite une admirable lettre de Mozart. Le musicien explique sa méthode de composition :

> « (...) L'idée grandit, je la développe, tout devient de plus en plus clair, et le morceau est vraiment presque achevé dans ma tête, même s'il est long, de sorte que je puis ensuite, d'un seul regard, le voir en esprit comme un beau tableau ou une jolie personne ; je veux dire qu'en imagination je n'entends nullement les parties les unes après les autres dans l'ordre où elles devront se suivre, je les entends toutes ensemble à la fois »[21].

Comme principe ontologique, comme compagnon du principe de contradiction, le principe de raison suffisante ne fait pas bonne figure. Il faut être Wolff, ou son disciple secret, pour le prendre au sérieux. Mais, comme principe de totalisation, il

---

20. Voir l'ouvrage de Leo Spitzer, *Classical and Christian Ideas of World Harmony : Prolegomena to an interpretation of the word* STIMMUNG, Baltimore, Johns Hopkins U.P., 1963, pp. 34-35.

21. Cité par Heidegger, *op. cit.*, pp. 158-159.

répond à l'intention d'entendre la musique du monde comme Mozart entend en imagination la musique de sa propre composition : toutes les parties *ensemble à la fois,* et non pas *les unes après les autres.* Avec son principe, Leibniz essaie de conserver la possibilité d'une expérience musicale du monde, de ce monde même que les sciences de l'époque commencent à découper, à disséquer, à expliquer par morceaux séparés, *partes extra partes.*

De ces différents traits de l'« époque du principe de raison », — l'individualisme et l'exacerbation des différences, la piété et l'objection nihiliste, le désenchantement du monde comme perte de la musique universelle —, l'interprétation de Heidegger ne retient rien. Les heideggeriens ne veulent voir dans le principe de raison que la proclamation d'une calculabilité généralisée, d'une planification planétaire, d'un âge atomique. Pourtant, si l'on prend ce principe du point de vue de son application cosmologique, on le trouve moins moderne qu'il ne nous avait été annoncé. Nous voyons qu'il est un compromis, une tentative de conciliation.

Comme principe de raison, sans plus, la pensée que propose Leibniz regarde vers la tradition. Loin d'être la déclaration soudaine d'une rationalité moderne qui serait restée jusque-là en latence, elle est plutôt l'un des derniers essais philosophiques de maintenir l'unité de la raison contre les tendances modernes à la séparation des choses en sphères isolées. Leibniz cherche à concilier la science et la piété en intégrant l'athéisme des explications mécaniques de détail dans une vue plus profonde de l'ensemble. Comme il l'écrit lui-même :

> « Je commence en philosophe, mais je finis en théologien. Un de mes grands principes est que rien ne se fait sans raison. C'est un principe de philosophie. Cependant dans le fonds ce n'est autre chose que l'aveu de la sagesse divine, quoyque je n'en parle pas d'abord »[22].

Mais, comme principe de raison *suffisante,* la pensée qu'offre Leibniz est typiquement moderne. Elle ne parvient pas, en effet, à concevoir la bonté de l'existence autrement que comme *valeur,* ce qui introduit la perspective d'un sujet qui compare des options et se décide pour la meilleure. La beauté du monde ne

---

22. Texte dans Eduard Bodemann, *Die Leibniz-Handschriften der Königlichen öffentlichen Bibliothek zu Hannover,* Hildesheim, Georg Olms, 1966, p. 58.

s'exprime plus directement dans son ordre même, dans un accord musical de ses parties. Elle n'est établie qu'en passant par un ordre des valeurs assignées par l'entendement divin aux diverses possibilités qui s'offrent à lui. Par elle-même, la notion de *ratio* est vague et peut désigner aussi bien une simple relation de convenance qu'une forte relation de principe à conséquence. Leibniz pense en moderne quand il croit que le bien doit être plus précisément défini comme le *préférable.* Cette idée moderne, à première vue, ruine toute possibilité de lier encore l'existence à une beauté du monde : car, si c'est le monde entier qui est beau, il n'y a pas lieu d'en *préférer* une partie à une autre. Le génie de Leibniz rétablit la bonté du monde en déplaçant la décision qui ne retient que le meilleur. Le *tout* du monde est déclaré bon, dans la composition de toutes ses parties, les excellentes, les imparfaites et les défectueuses, par la figuration d'une procédure de décision « rationnelle », dans le sens moderne, applicable à l'infinité des possibilités. Leibniz est moderne là où il croit que l'acte de dire *oui* à ce monde (celui qui existe) serait irrationnel si cet acte n'était pas déterminé par le fait qu'un et un seul candidat s'impose contre tous ces rivaux. Ce n'est pas la notion de raison sans plus, c'est la notion de raison *suffisante,* qui conduit Leibniz à chercher l'*harmonia mundi* par les voies modernes d'un « principe de détermination », d'une « mathématique divine », d'un « mécanisme métaphysique »[23].

La « question de l'existence » roule tout entière sur la façon dont quelqu'un s'*accorde* avec ce qui est. Cette disposition « musicale », on essaie le plus souvent de la saisir par un vocabulaire psychologique ou spirituel : la sérénité, l'ennui, l'angoisse, la joie. On use aussi de termes techniques en -isme pour signifier la vision qui est à chaque fois attachée à la disposition (soit pour l'exprimer, soit pour la motiver) : fatalisme, pessimisme, optimisme, quiétisme. On peut enfin adopter l'austère terminologie de la philosophie et comprendre la variété des formes d'accord entre l'homme et son monde par l'opposition du *oui* et du *non,* du consentement et du refus à ce qui est à l'« existence », telle qu'elle est. Dans une conférence sur la littérature française contemporaine, Julien Gracq

---

23. *De rerum originatione radicali,* Gerhardt, *Phil. Schr.,* VII, p. 304.

construit ainsi une antithèse de la littérature selon Claudel et de la littérature selon Jean-Paul Sartre. Chez Claudel, ce qui frappe n'est pas le catholicisme, mais « une certaine attitude fondamentale vis-à-vis du monde » que Gracq appelle le *sentiment du oui* : « un oui global, sans réticence, un *oui* presque vorace à la création prise dans sa totalité »[24]. Il n'est pas question de choisir, et, comme le note Gracq, Claudel acquiesce à tout, au noble et à l'indigne : « acquiescement à Dieu, à la création, au pape, à la société, à la France, à Pétain, à De Gaulle, à l'argent, à la carrière bien rentée, à la progéniture de patriarche, à la forte maison, comme il dit, qu'il a épousée par-devant notaire »[25]. Chez Sartre, c'est exactement l'inverse. L'« attitude » est celle d'un *non* viscéral. *Non* à la nature, *non* aux autres, *non* à la société existante, *non* à toute société possible (« il est l'exclu, désigné d'avance de tous les groupements politiques à gauche, y compris de ceux qu'il a essayé de fonder »), *non* à la sexualité, *non* même à la gloire littéraire.

Sur la liste des grandes attitudes fondamentales, on peut donc ajouter à l'optimisme et au pessimisme, à l'approbation de Claudel et de Rosset, au refus de Sartre, une autre variété qu'on appellerait le « rationalisme », ou l'attitude « critique » : *oui* s'il y a une bonne raison, *non* s'il n'y en a pas. Nous nous servons alors d'une analogie tirée de la controverse épistémologique (entre le rationalisme et l'empirisme) pour tâcher de définir une autre possibilité humaine, une nouvelle attitude fondamentale.

Pour les philosophes existentialistes, les doctrines philosophiques se réduisent comme en leur principe dans des attitudes « existentielles ». La « thèse sur l'être » qu'énonce le principe de raison (*Tout ce qui est a une raison en tant qu'il est*) doit être comprise comme une « vision du monde », comme l'expression de quelqu'un qui s'est disposé d'avance à accueillir les événements selon une attitude qu'on peut dire « rationaliste ».

Heidegger fait l'inverse. Il rend compte de l'attitude envers l'« existence » par la « thèse sur l'être ». Il retire donc à ces attitudes fondamentales (angoisse, sérénité, etc.) l'apparence d'être des dispositions subjectives, des états d'esprit, des faits anthropologiques. Il nous invite à en donner une formulation ontologique. Heidegger nous demande donc de traduire l'atti-

---

24. *Préférences*, Paris, José Corti, 1961, p. 92.
25. *Ibid.*, p. 93.

tude envers l'existence en une relation de l'homme à l'étant en tant qu'étant (*ens qua ens*).

Pour inclure la « question de l'existence » dans la « question de l'être », Heidegger doit supposer ceci : chaque fois que quelqu'un fait face à quelque chose et reconnaît qu'*il y a là quelque chose,* il s'établit entre ce qui reconnaît et ce qui est reconnu, outre le rapport « ontique » (rapport à ce qui trouve être étant), un rapport « ontologique » (rapport à l'être de l'étant). La question de l'être doit donc être posée partout, en ce sens qu'elle précède philosophiquement toutes les questions particulières. Que la question de l'être soit partout posée se confirme, phénoménologiquement, par le fait des diverses « attitudes fondamentales ». Qu'il y ait la question de l'être, et qu'elle soit ce qu'il dit qu'elle est, c'est donc *toute* la base philosophique de Heidegger, si on laisse de côté comme parasitique sa construction sur l'histoire de l'être[26]. Du reste, Heidegger le dit lui-même. Dans sa lettre-préface à Richardson, il évoque un instant l'invraisemblable : et si l'on démontrait que la « question de l'être » est « injustifiée, superflue et promise à l'impasse »[27] ? Heidegger écarte aussitôt cette hypothèse d'école : cela reviendrait à démontrer (par la philosophie) qu'il n'y a pas de questions philosophiques, que toute question est une question empirique ou de fait. C'est pourquoi les disciples de Heidegger disent volontiers que la « question de l'être » est l'« incontournable » accès au présent de la philosophie, que tout ce qui se fait hors de cette question, telle que Heidegger l'a posée, est un divertissement rétrograde. Ils ne remarquent pas que la philosophie ancienne ne se réduit pas à la ligne de pensée

---

26. On peut estimer que Heidegger, lorsqu'il s'impose de transcrire sa version de l'histoire de la métaphysique en une histoire des « paroles de l'être », paie un lourd tribut à l'épistémologie intuitionniste qui est au cœur de toute la tentative phénoménologique. Il est en effet paradoxal que l'*apparition,* ou « vérité » (*aléthèia*) de l'être, qui doit avoir lieu chaque fois que la question de l'être est posée, soit en fait *postulée,* et cela pour satisfaire un préjugé. Car c'est un préjugé que de réclamer, pour toute compréhension d'un sens, la fondation de cette compréhension dans une intuition éidétique appropriée (voir sur ce point les chapitres que Tugendhat consacre à Heidegger dans *Selbstbewusstsein und Selbstbestimmung,* Francfort, Suhrkamp, 1979). Curieuse façon de manifester le « non-sens latent » de la notion d'intuition de l'être dans le « non-sens patent » d'une histoire de l'être, non pour se défaire d'une illusion, mais pour l'embrasser de plus belle.

27. Lettre traduite par C. Roëls, dans : Heidegger, *Questions IV,* Paris, Gallimard, 1976, p. 185.

que Heidegger a choisi d'accuser, et que la philosophie moderne continue sans eux.

Tout le monde est d'accord pour dire que la métaphysique pose la « question de l'être », ce qui veut dire qu'elle considère ce dont elle parle sous l'aspect où cela est dit être. Mais ces propos trop généraux ne mènent nulle part, car ils ne nous disent pas comment pratiquer la reduplication métaphysique. En fait, Heidegger choisit une version possible de la reduplication, une façon possible d'entendre l'*ens qua ens* des métaphysiciens. Et il est permis de penser qu'il a choisi la mauvaise. Pour expliquer ce point, il faut être attentif à des distinctions qui relèvent de ce qu'on peut appeler aujourd'hui la *grammaire philosophique,* c'est-à-dire d'un examen des concepts les plus généraux pratiqué selon l'analogie d'une étude de la fonction des mots dans la construction d'une phrase. Ce style philosophique, mis au monde par les grands métaphysiciens grecs, est trop rarement adopté par Heidegger, alors qu'il est bien vivant chez des penseurs tels que Russell et Wittgenstein[28].

Aristote donne un exemple d'interrogation métaphysique (il dit : « de philosophie première »). Cet exemple éclaire fort bien la teneur de la « question de l'être ». Il s'agit pour lui de justifier le fait d'ajouter une discipline distincte, la philosophie première, aux disciplines qui traitent chacune d'un objet particulier, la nature, les mœurs, etc. Qui, demande-t-il, sinon le pur philosophe, va s'occuper de savoir si Socrate est la même chose que Socrate assis[29] ? Cet exemple, une fois mis dans les formes canoniques issues de l'œuvre même d'Aristote, donne quelque chose comme ceci :

1) *Question biographique* : Qu'est-ce qui est vrai de Socrate ? (exemples : Où est-il né ? De qui ? Qu'a-t-il fait ? etc.) ;

2) *Question métaphysique* : Qu'est-ce qui est vrai de Socrate en tant que Socrate est ? (exemple donné : Est-ce que Socrate,

---

28. Dans un intéressant article, à l'argumentation serrée, M. Gérard Guest s'efforce de réconcilier Heidegger et Wittgenstein, mais sous la primauté de l'herméneutique (cf. « Interprétation et vérité », *Confrontations,* n° 17, 1987, pp. 7-24). Il soutient que la grammaire philosophique, puisqu'elle non plus n'est pas dépourvue de présupposés divers, est forcément déjà prise dans le « cercle herméneutique ». On lui objectera, avec Wittgenstein, que l'interprétation doit renoncer à être partout si elle veut pouvoir être quelque part (cf. la remarque : « Il arrive bien sûr que j'*interprète* des signes, que je donne une interprétation (*Deutung*) à des signes, mais tout de même pas chaque fois que je comprends un signe ! », *Philosophische Grammatik,* Oxford, Blackwell, 1974, p. 47).

29. *Métaphysique,* IV, c. 2, 1004 b 2.

qu'on suppose présentement assis, et Socrate assis, sont un seul et même être ?).

On avouera que ce type de question métaphysique, né des controverses entre dialecticiens et sophistes grecs, paraît fort éloigné des interrogations sur la justice du monde formant la « question de l'existence ». En revanche, la grammaire philosophique, qui se demandera par exemple comment rendre compte de la différence entre le nom propre *Socrate* et l'adjectif *assis,* paraît bien être dans la droite ligne de l'enquête aristotélicienne.

Heidegger veut que la piété cosmique, tout comme le nihilisme européen, soient des réponses à la « question de l'être », parce qu'il reconnaît une légitimité au projet d'une métaphysique *générale,* ou *ontologie,* ou science de l'*ens qua ens.* Il n'en récuse que les prétentions à être fondée dans une raison assurée de son bon droit. C'est un fait que nous avons affaire, tantôt à Socrate comme sujet d'une biographie, tantôt à Socrate pris comme étant. Ainsi, explique Heidegger, ce que c'est qu'être un étant « apparaît » ou « transparaît » dans toute présentation, physique ou « intentionnelle », de Socrate. Nos rapports à Socrate, présent en personne devant nous, ou présent en personne devant notre esprit, sont des rapports à Socrate *étant,* puisqu'ils sont des rapports à celui qui *est* Socrate. Donc il y a une priorité du rapport à Socrate comme étant (*qua ens*) sur tous les rapports à Socrate sous tel ou tel aspect particulier (ces aspects particuliers que nous considérons, du reste, parce qu'ils *sont présents,* ou qu'ils *peuvent l'être,* ou qu'ils *auraient pu l'être*).

Heidegger a plusieurs fois présenté sa doctrine de la compréhension « pré-ontologique » dans une interprétation de l'œuvre de Kant. Il a montré qu'on pouvait (et, selon lui, qu'on devait) comprendre la doctrine de Kant, non comme une théorie générale de la connaissance, mais comme une fondation de la métaphysique générale (ou ontologie) de l'école rationaliste : cette fondation consiste à en *limiter* l'application à ce qui nous est donné comme phénomène. Les premiers lecteurs français de Heidegger étaient eux-mêmes les élèves de professeurs kantiens. Ils ont accepté de contester la réduction, que faisaient leurs maîtres, de la philosophie première à l'épistémologie. Mais ils ont trouvé tout naturel de concevoir l'ontologie sur le modèle de la doctrine kantienne des principes du jugement objectif. Je trouve un bon exemple de cette doctrine classique dans un ouvrage de Luc Ferry, lequel se propose pourtant de critiquer les positions heideggeriennes. Il lui reproche d'éliminer le point de vue des valeurs et la « vision éthique ». Mais il commence par lui accorder le bien-fondé de la métaphysique générale, sans voir donc que c'est là ce qui empêche Heidegger de reconnaître l'autonomie des questions éthiques.

> « A la différence des sciences, la philosophie ne porte sur aucun objet particulier réellement existant. Dans les termes qui sont ceux de la phénoménologie heideggerienne, on pourrait dire qu'elle ne porte sur aucun "étant", mais qu'elle s'interroge "seulement" sur les caractéristiques communes à tous les "étants", à tous les objets particuliers, et ce, avant même que nous en ayons une expérience concrète. (...) Je puis savoir, par exemple avant d'avoir vu une table, une chaise ou un arbre, qu'ils auront en commun de se situer dans un espace et dans un temps, d'occuper une certaine position de cet espace, d'être dans une certaine mesure identiques à eux-mêmes (...), de posséder (...) une raison d'existence ou, si l'on veut, une cause, etc. » [30]

Cet exposé (que Ferry lui-même donne pour scolaire et schématique) montre bien comment opère la reduplication métaphysique dans l'école de la métaphysique générale. On formulera ainsi le passage du point de vue « ontique » au point de vue « ontologique » :

1) *sans la reduplication,* nous obtenons, en réponse à notre question sur l'objet Socrate (Qui est Socrate ? Qu'est-ce que c'est que Socrate ?), une *description biographique* qui donne des caractéristiques particulières et qu'on ne pourrait pas fixer sans une expérience (comme l'état civil, la carrière, etc.).

2) *avec la reduplication ontologique,* nous obtenons une description que nous appelons ontologique et qui nous parle de Socrate, non comme cette personne particulière, ou même cet échantillon d'une espèce particulière, mais comme *étant* : la description ontologique ne donne plus le *signalement* (singulier parce que contingent) de Socrate, elle nous donne les caractéristiques que possède Socrate *qua ens,* comme étant, et qui sont bien sûr communes à tous les étants.

Le point de cette école est donc qu'il y a deux descriptions d'un objet : en tant que cet objet particulier et en tant qu'objet

---

30. Luc Ferry, *Philosophie politique,* Paris, P.U.F., t. II, p. 19.

possédant les propriétés fondamentales (« catégories ») de tout objet en général, de l'objet en général = x. Et on retrouve bien, comme le dit Heidegger, la même structure métaphysique dans l'ontologie du rationalisme et dans l'épistémologie de la philosophie critique, en vertu des équivalences :

ens (ontologie) = objet (épistémologie) ;
entitas (ontologie) = objectivité (épistémologie) ;
ontologia = philosophie transcendantale (épistémologie).

A cette démarche moderne on peut préférer celle d'Aristote. Si nous nous sentons plus aristotéliciens que suaréziens ou wolffiens, nous éviterons les déclarations trop générales sur l'objet en tant qu'objet, et nous reviendrons aux sources de toute la question, par exemple à : Socrate est-il identique à Socrate assis ? La question est bien métaphysique, elle porte bien sur ce qu'est Socrate en tant qu'il est. On raisonne alors ainsi : Si Socrate est la même chose que Socrate assis (l'exemple suppose qu'il y a, en face de nous, Socrate en position assise), alors le Socrate qui est debout (l'exemple suppose que Socrate était debout et vient de s'asseoir) n'est pas le même être que Socrate assis. Dans cette hypothèse (métaphysique), nous devons réformer notre langage. Il y a deux façons de le faire : adopter une ontologie des individus éphémères, ou bien une ontologie des individus processifs. Première façon : quand nous parlons de Socrate, d'abord debout, puis assis, notre langage nous trompe ; ce que nous appelons d'un même mot *Socrate* n'est pas un seul et même individu, c'est une suite discontinue d'individus éphémères qui se succèdent rapidement les uns aux autres. Deuxième façon : quand nous parlons de Socrate, nous ne visons pas un individu inaltérable, nous voulons désigner au contraire tout ce que nous rapporte une biographie complète et véridique de Socrate ; en réalité, Socrate est l'ensemble du procès qui va d'une date de naissance à une date de décès, et nous n'avons pas affaire, à un instant donné, à l'individu Socrate, mais bien à une partie temporelle de l'individu processif Socrate, lequel est un étant spatio-temporel. Dans cette solution, ce n'est pas Socrate qui est assis, c'est Socrate-à-l'instant-présent, donc une partie ou une tranche de Socrate.

La solution d'Aristote est d'inventer les catégories. Aristote refuse d'identifier Socrate et Socrate assis. Socrate est un étant, mais Socrate assis est la rencontre « accidentelle » de deux étants, à savoir, un être humain et une position du corps. Qu'est-ce que Socrate en tant qu'étant ? Ce n'est pas un objet en général, c'est un homme, à savoir, celui des hommes dont l'humanité est celle de Socrate. Qu'est-ce que Socrate assis en tant qu'étant ? C'est encore une fois un homme qui est en position assise ? Qu'est-ce que nous pouvons dire de ceci : *qui est en position assise,* en tant qu'étant ? C'est une position *qui est* s'il se trouve (par « accident ») quelque corps pour la prendre.

Cette analyse aristotélicienne se formule d'ailleurs plus clairement si l'on observe la règle de la philosophie analytique d'inspiration frégéenne : Ne pas demander en général « Qu'est-ce que Socrate ? » (ni : « Qu'est-ce que l'homme ? »), mais poser la question sous l'aspect de l'identité : A quoi Socrate s'identifie-t-il et sous quel rapport ? (ou : « Qu'est-ce que c'est, pour un individu, qu'être *le même homme* que soi ? »). On obtient alors les solutions suivantes au paradoxe du changement (dans cet exemple, le changement consiste à s'asseoir) :

1) Socrate (en quelque position qu'il soit) est *le même homme* que Socrate assis ;

2) *Qui est assis,* cette expression relative désigne *la même position* si elle est dite du même corps et si ce corps est bien dans cette position.

Ici, l'ontologie ne se présente plus comme métaphysique générale. Il n'y a pas de description ontologique de l'*ens in genere,* pas de propriétés communes à tous les étants, car ceux-ci sont trop hétérogènes. Les « catégories » ne sont plus les propriétés de tout objet, les conditions de possibilité de l'objectivité. Les catégories sont les lignes prédicamentales selon lesquelles nous reconnaissons qu'il y a quelque chose : des substances, des lieux, des temps, des actions, des passions, des structures et des relations, etc. Que pourrait-on trouver de *commun* à une substance (Socrate) et à une action (le mouvement de s'asseoir) ? Tout ce qu'on trouvera, ce sont des rapports entre ces choses (il n'y a un mouvement de s'asseoir que s'il y a un corps pour être mû de ce mouvement, etc.).

Mais les partisans de la métaphysique générale n'ont jamais vraiment accepté la diversité des significations de l'« être » (du mot *être*). Ils s'obstinent à trouver le noyau de sens « transcendental » qui serait à l'origine de la variété des emplois du vocabulaire ontologique. On dira par exemple que tous les étants (substances, accidents) ont en commun ceci : la présence, l'*energeia,* l'actualité, l'effectivité. Il y aurait donc bien un sens unique de l'« être ». Et puisque ce sens unique est pourtant déterminé diversement au cours de l'histoire de la philosophie, il y aurait plusieurs significations (à chaque fois univoques) de l'« être », donnant lieu chaque fois à une « époque de l'être ». Mais cette défense de la métaphysique n'est pas aussi claire que le voudraient les disciples de Heidegger. Car, dès qu'on veut en dire un peu plus sur la *présence,* on revient à l'une des régions ontologiques discernées par ailleurs. La présence comme telle est conçue sur le paradigme d'un type de présence, par exemple de la présence matérielle d'un corps inerte, ou bien de la présence active d'un être vivant, ou bien de la présence idéale d'une figure géométrique. S'il en est ainsi, c'est peut-être qu'en effet il n'y a pas de « sens de l'être » ni d'emploi possible du « il y a » *à part* de ce qui, à chaque fois, reçoit la forme d'être qui lui convient.

Tel est en tout cas l'avis d'Aristote. Je n'ai pas ici à défendre plus cette opinion : il suffit qu'elle existe pour mon propos, car il en résulte qu'on peut poser une « question de l'être » qui ne saurait se confondre avec la « question de l'existence ». Dans le *Traité de l'âme,* Aristote écrit : « Vivre, pour les vivants, c'est être » (415b 13). Les Scolastiques médiévaux en avaient tiré un adage aux multiples usages : *Vivere viventibus est esse.* Si l'on prend au sérieux cette pensée, on doit tirer cette conséquence : il n'y a pas à donner deux descriptions du vivant nommé Socrate, la première le présentant comme un homme particulier et la seconde comme un objet transcendental. Ce n'est pas dire qu'on ne doive pas distinguer une description biographique et un signalement métaphysique (ce qui serait en effet le positivisme inepte dont le disciple de Heidegger menace tous ceux qui n'acceptent pas *sa version* de la « question de l'être »). Tout au contraire, on fera la distinction ainsi : La biographie de Socrate ne nous apprend pas que Socrate est un homme, elle n'est compréhensible comme récit de la vie de Socrate que si nous savons déjà quelle sorte de vivant est Socrate ; en revanche, cette biographie nous rapporte ce qu'il est *arrivé* à Socrate d'être, ses aventures, ses mutations, ce qu'il est devenu, ce qu'il a cessé d'être (sans jamais cesser d'être Socrate ou ce vivant humain, jusqu'au jour de sa mort). Quant à la détermination métaphysique, elle nous dit ce qu'aucune biographie ne peut nous apprendre parce qu'elle doit le présupposer, à savoir quel type d'être est Socrate.

Toute cette discussion peut se résumer ainsi :

1) pour le partisan de la métaphysique générale, il faut dire que la table, la chaise et l'arbre (pour reprendre l'exemple de Ferry) sont ontologiquement la même chose; ils ont, en tant qu'étants, le même signalement (celui de l'objectivité ou de l'être-un-objet);

2) pour la façon aristotélicienne de poser la « question de l'être », la table, la chaise et l'arbre sont ontologiquement distincts : l'arbre est une substance vivante, tandis que la table et la chaise ne sont pas des substances, mais des structures matérielles. Leur mode d'être ou de présence est donc différent. Mais, s'il en est ainsi, il n'y a pas à chercher un identique *rapport à l'être* dans le fait que nous avons une compréhension ontologique de l'arbre en tant qu'étant, ou des meubles en tant qu'étants. Dans cette deuxième version de la « question de l'être », il n'y a pas lieu de chercher, à la racine de tous nos rapports à toutes les choses qui nous occupent, une relation de nous à l'être de ces choses en tant qu'elles sont de l'étant, qu'elles sont pour nous ce qui est. En effet, il n'existe aucune description qui ne soit vide de l'*ens in genere,* de l'objet quelconque dans son objectivité. Mais, si l'ontologie générale est forcément vide, alors c'est la dissolution de la « question de l'existence » dans la « question de l'être » qui est manquée. La « question de l'existence » conserve son autonomie et son droit philosophique en dehors des distinctions de la métaphysique. La « question de l'être » est toujours celle de la forme spécifique d'être qui est reconnue par nous à quelque chose. La « question de l'existence » est celle de notre réponse au fait que la vie soit ce qu'elle est, que les choses qui nous affectent soient ce qu'elles sont et pas autrement. Les deux questions ne se recoupent donc pas. Chacune a son sérieux. Le mélange des deux pourrait bien reposer sur l'équivoque de l'expression « sens de l'être », qu'on prend ici pour équivalent à « sens du mot *est* dans la phrase », et ailleurs pour signifiant « attitude qui nous fait dire *oui* ou *non* au monde pris comme un tout, sans qu'il soit permis de choisir ».

Il faut reconnaître que la « question de l'existence » parvient parfois à se déguiser en « question de l'être ». Une fois que des formes d'être ont été distinguées, en général selon le schéma de la matière inerte, de la vie et de l'esprit, les philosophes tentent de les organiser. Ils construisent des « grandes chaînes de l'être », des échelles établissant les degrés de l'être. Aujourd'hui, ces hiérarchies ontologiques nous sont suspectes parce que nous n'adoptons pas volontiers une vision hiérarchique des choses, alors que c'était le mode de penser le plus naturel pour les penseurs d'une culture traditionnelle. Lorsque nous voulons concevoir un système ou un monde, nous préférons le penser par la notion de *solidarité* (ou réciprocité) que par celle de *subordination*. Pour nous, un ordre de dignité ne peut être qu'un ordre de valeur, et doit donc être tenu pour « subjectif ». Nous comprenons bien qu'un fermier établisse des rangs dans son monde : les bêtes dans la cour, les personnes à la maison, les maîtres dans la plus belle chambre. Mais nous savons que c'est le point de vue du fermier, que ne partagent ni les chiens, ni les poules, etc. Autrement dit, la hiérarchie n'a plus pour nous de portée ontologique : il n'y a une certaine hiérarchie plutôt qu'une autre qu'à condition de se placer à ce point de vue particulier, qui n'est qu'un point de vue parmi d'autres. Il me paraît difficile de nier que la différence entre notre vision égalitaire et la vision hiérarchique traditionnelle n'est pas à chercher dans l'ontologie pure, mais dans la culture. Le philosophisme fait comme si la culture occidentale était *dans* la métaphysique occidentale. Il est plus juste de renverser cela : les métaphysiques occidentales ont pris naissance *dans* la culture.

On peut toujours expliciter l'ontologie (régionale) que suppose implicitement une théorie, un projet, une attitude. Ce point n'est pas contestable. Si seulement le philosophe heideggerien pouvait limiter sa demande, en elle-même légitime, d'un éclaircissement ontologique des conceptions d'une époque, il serait sur un terrain solide : un terrain qu'il partagerait d'ailleurs — grave inconvénient pour une pensée *intensifiée* — avec les *autres* philosophes. On doit en effet s'interroger sur la métaphysique de la science moderne ou sur la métaphysique du projet révolutionnaire. Il paraît indiqué de donner à ces interrogations un tour plus appliqué : non la métaphysique de la science en général, comme s'il n'y en avait forcément qu'une, mais la métaphysique de telle science dans telle de ses interprétations ;

non la métaphysique de la révolution, mais la métaphysique des entités collectives dans le jacobinisme, dans le socialisme fabien, dans le léninisme, etc.

Dans toutes ces interrogations métaphysiques, on ne voit pas comment on pourrait se dispenser d'examiner les concepts ontologiques *à l'œuvre,* là où ils travaillent, sur le terrain. L'idée qu'on ne devrait pas poser les questions philosophiques sous une forme particulière, donc au sein d'une discipline spéciale, paraît singulièrement mal venue. Heidegger pourrait bien avoir repris le plus contestable des préjugés rationalistes : que les disciplines philosophiques ne sont pas vraiment autonomes, que les grandes divisions traditionnelles de la philosophie (en questions logiques, physiques, éthiques, etc.) ne sont pas fondées, que chaque ordre de questions n'a pas ses *principes propres,* puisque, croit-on, les principes particuliers pourront être dérivés des principes universels de la raison.

Les critiques de la métaphysique occidentale ne cessent de dénoncer la volonté nihiliste qui se serait déguisée en activité « rationnelle », en recherche des fondements et des raisons. Mais on retire de leurs propos une impression ambiguë : au moment où les critiques accusent la métaphysique de ne pas *laisser être la chose qui est,* ils paraissent eux-mêmes emportés par une autre fureur métaphysique, qui les empêche de laisser les recherches philosophiques être ce qu'elles sont : des essais divers, des *propositions,* des pensées offertes à notre considération, des arguments qu'il faudra toujours reprendre.

Dans sa version herméneutique, la phénoménologie de l'être finit par se confondre avec la plus extrême *critique idéologique.* Ce qu'il y a d'insupportable dans la destruction idéologique des idées, c'est que cette agression est toujours imparable. Si *tout est politique,* alors tout ce que vous pouvez dire va se ranger en deux classes d'énoncés : vos quelques déclarations politiques, où vous jetez le masque, et tous vos autres propos, où vous ne faites que déguiser votre *parti pris* en autre chose, science, art, amour, gaieté. De même, si *tout est désir,* la division est maintenant entre les demandes explicites, où le désir se produit ouvertement, et les expressions libidinales déguisées en constatations, questions, réponses, spéculations, etc. On reconnaît ici la stratégie extrémiste de l'Unique Nécessaire. Si l'unique souci justifié est celui de mon salut personnel, tout le reste est en effet divertissement. Cette pensée est profonde si elle conduit quelqu'un à se retirer dans sa chambre pour la méditation. Sa transposition aux affaires mondaines est désastreuse. La politique de l'Unique Nécessaire est un fanatisme. La psychologie de l'Unique Nécessaire est une interprétation maniaque.

On peut ici risquer une hypothèse sur le succès de Heidegger chez les philosophes français, succès qu'on a du mal à expliquer par le pur intérêt des questions logiques et métaphysiques. Depuis longtemps, il faut l'avouer, ces questions ne sont plus le *fort* de la philosophie française. On ne voit pas d'ailleurs que le crédit immense dont jouit la philosophie de Heidegger ait conduit le public à se plonger dans les rudes traités de la métaphysique occidentale. Quelques esprits rares lisent le *Parménide* de Platon ou les *Sommes* de la Scolastique en s'inspirant de Heidegger, mais on soupçonne qu'ils auraient lu de toute façon ces ouvrages, et même qu'ils sont peut-être désolés, en leur for intérieur, d'avoir à en accuser le nihilisme. Mais il est un autre usage de l'argument heideggerien. Heidegger offre au philosophe le moyen de *surenchérir* dans la confrontation des offres contemporaines de démystification. Le *Tout est métaphysique* est une prise de position radicale, qui l'emporte facilement sur toutes les prétentions antérieures. Tant de partis annonçaient que la philosophie devait être démasquée : elle exprimait la vision d'une classe sociale, le désir paranoïaque, la faiblesse vitale. Ces propos ne font pas plaisir à quelqu'un dont le métier est d'enseigner la philosophie. Le philosophe est alors bien content de trouver, dans l'herméneutique des « paroles de l'être », une pensée qui libère totalement la tradition philosophique de ses attaches terrestres (ou *applications*), en même temps qu'elle équipe le lecteur pour la mise à découvert de l'*impensé* des positions adverses. La stratégie est en effet imparable : tout propos sera reconduit à ce qui se cache dans les mots les plus généraux, c'est-à-dire justement ceux qui ne manqueront pas d'être utilisés dans quelque discours que ce soit, comme *nature, objet, existence, forme, force, moi,* etc. Dès que l'ennemi de la philosophie a commencé son travail de réduction de la métaphysique à une idéologie politique ou sexuelle, il a déjà perdu la bataille, puisqu'il a forcément utilisé plusieurs mots de la métaphysique occidentale.

Il est vrai que cette stratégie imparable se paie d'un prix qu'on peut juger trop lourd. Le philosophe, pour sauver la philosophie des assauts de la critique idéologique, doit désormais s'interdire d'employer ces mêmes mots autrement qu'entre guillemets ou « sous rature ». Il doit renoncer à faire cela même qui lui était apparu si précieux quand il était devenu philosophe : de la philosophie.

Mais le lecteur s'étonnera peut-être que, dans un chapitre portant sur la pensée heideggerienne de l'époque, je n'aie toujours pas abordé ce qui est pour beaucoup le vrai sujet : Quel est le rapport de Heidegger, le *docteur* en métaphysique, et Heidegger, le *recteur* hitlérien ? L'« affaire Heidegger » a fait la une de journaux français en 1988. Il en a été question dans des « magazines illustrés ». Voilà bien le cas d'un philosophe dont le jugement sur l'actualité, la sienne, fait partie de l'actualité, la nôtre.

Mon excuse est que je ne parviens pas à discerner un jugement de Heidegger qui soit philosophique *et* qui porte sur l'actualité. Sans doute, la pensée de Heidegger prétend saisir la « métaphysique de l'époque moderne ». J'ai montré, je crois, que cette notion même d'une « métaphysique de l'époque » reste obscure, et que cette obscurité reflète le défaut de construction de la « question de l'être » elle-même. J'admire que tant de lecteurs de Heidegger trouvent au contraire, au cœur de cette « question de l'être », des voies qui mènent, selon les uns, aux pires aberrations politiques (celles de Heidegger le recteur), selon les autres, à la lucidité supérieure envers les pièges de l'époque (cette lucidité dont Heidegger aurait fait preuve s'il était resté le docteur, fidèle à son « questionnement »). C'est un fait que la *question de l'être* reçoit chez Heidegger une acception extrêmement originale, puisqu'elle doit maintenant satisfaire à deux conditions : l'être doit être *univoque* (sans pourtant redevenir conceptuel ou générique), l'être doit être accessible *phénoménologiquement* (sans pourtant se réduire à un état vécu, à une expérience vitale ou « existentielle »). Ce tour donné à l'interrogation métaphysique me semble conduire tout droit à une impasse philosophique. Quoi qu'il en soit, je ne parviens pas à lui trouver une *couleur politique*. Il se pourrait que les lecteurs qui passent avec tant d'aisance de la métaphysique à la politique soient en réalité trop contents de reprendre pied sur un terrain plus familier.

Mais n'y a-t-il pas les « textes politiques » de Heidegger, où se conjuguent le lexique nazi et la terminologie technique de *Sein und Zeit* ? Je trouve en effet dans ces pénibles déclarations nombre de phrases assurément politiques, comme par exemple : « *Heil Hitler !* » D'autres phrases sont typiquement métaphysiques. Ce qui manque est un lien quelconque entre les unes et les autres. Ainsi, dans un appel à voter *oui* au plébiscite du 12 novembre 1933, Heidegger déclare que seul ce vote peut satisfaire la « loi essentielle de l'existence (*Dasein*) humaine » qui est que chaque peuple soit responsable de soi. Tout *Dasein*, dit-il, vise à « préserver et sauver son essence propre »[31]. Ici, nous reconnaissons sans peine le vieil adage : *Bonum convertitur cum ente,* ou encore : *Est aliquid bonum, inquantum est ens.* Tout ce qui est, est bon en tant qu'il est, existe donc selon la « loi » qui lui « commande » de persévérer dans son être et de sauvegarder la forme d'être qui lui est propre. Or cela, c'est la métaphysique. Manque ici cruellement, comme partout ailleurs, le jugement politique qu'on pourrait tirer de là. Je ne dis donc pas que Heidegger tire les mauvaises conclusions d'une philosophie en elle-même saine, ni qu'il tire les conséquences logiques d'une philosophie détestable. Je suis bien plutôt frappé par l'absence de conclusion, par la construction déjà « parataxique » de ces textes, pour reprendre l'adjectif qu'utilisera Heidegger dans son assaut contre la logique de la proposition. On ne voit pas comment on pourrait tirer, de l'axiome métaphysique « Ce qui est bon pour un peuple est d'être », une réponse quelconque au plébiscite, que ce soit la réponse *oui* ou la réponse *non*. Pourquoi la sauvegarde du peuple allemand serait-elle plutôt dans l'abandon à Hitler que dans la résistance à Hitler ? C'est là justement ce qui devrait être décidé par un jugement politique. Heidegger, peut-être parce qu'il croit que l'*être* nous est *donné* en personne, ignore la nécessité de ce qu'on appelait autrefois les *axiomes intermédiaires,* sans lesquels on ne saurait passer des premiers principes, incontestables, mais formels, à des applications judicieuses.

---

31. Texte n° 7 (Schneeberger, n° 129) dans la présentation des « textes politiques », trad. Nicole Parfait, *le Débat,* n° 48, 1988, p. 183.

6. LA DÉMYSTIFICATION DU MONDE

> « Les mythes se recoupent et s'opposent
> selon les points de vue : mon totem est très
> grand, le vôtre est tout petit. »
>
> Marcel MAUSS, *Manuel d'ethnographie*,
> Paris, Payot, 2ᵉ éd., 1967, p. 250.

La théorie critique et la déconstruction des métaphysiques épochales de l'Occident partagent ce postulat philosophiste : *Modernité veut dire, à tous égards, rationalité*. Je dis que le postulat est philosophiste, parce qu'il tend à faire de la suite des grands axiomes, ou premiers principes, successivement reconnus, la variable dont les autres mutations historiques de la culture seraient plus ou moins les fonctions. A son tour, cette suite des axiomes, ou tradition de la philosophie, aurait pour loi la recherche du « discours cohérent ». L'histoire entière de l'Occident, selon cette légende, ne cesse de répéter à une échelle toujours plus élargie la scène inaugurale des cours d'histoire de la philosophie antique : le *mythe* cède le terrain à la *raison*. Le « désenchantement » du monde, pour reprendre le concept de Max Weber, serait justement cette extension du travail critique des philosophes à tous les aspects de l'existence.

Souvent des philosophes se croient tenus d'adhérer à cette conception par une sorte de devoir d'état. La philosophie est l'essai d'une pensée radicale, ou elle n'est rien. Si je suis philosophe, je suis obligé de croire que l'acte de penser du philosophe le libère instantanément des préjugés ancestraux. La rationalité doit ensuite se diffuser d'elle-même dans l'opinion publique et s'y développer sous la forme des Lumières. Par état, le philosophe travaille à la construction d'une civilisation rationnelle. Il ne saurait sans contradiction se dérober à cette tâche.

Pourtant, on doit souligner ceci : l'emploi du concept de rationalité qui fait parler de notre culture comme rationnelle, ou rationalisée, est profondément problématique. Il l'est évidemment pour les historiens qui veulent nous faire découvrir la grandeur des siècles « obscurs », et pour les anthropologues qui cherchent à comprendre les peuples très étrangers à nos façons de penser. Mais on ne remarque pas assez que le philosophe, lui non plus, ne peut pas se permettre de parler aussi légèrement de la rationalité[1]. Il faut peut-être concevoir autrement l'*état* du philosophe. Par état, le philosophe est le plus souvent amené à considérer des propositions, non pour les offrir à la vérification expérimentale ou au calcul, mais pour les comprendre, et éventuellement les accepter ou les rejeter pour des raisons purement philosophiques. L'état du philosophe lui commande donc de distinguer le *sens* d'une proposition de sa *vérité*. Cette distinction est la porte d'entrée dans le point de vue logique. Pour toute proposition vraie, il doit y avoir une proposition fausse correspondante : sa négation. Mais la proposition qui est fausse ne pourrait pas l'être si elle n'avait pas de sens. Non seulement elle doit être pleine de sens, mais son sens doit être aussi clair que celui de la proposition vraie, puisque aussi bien elle offre le même contenu de pensée affecté de la négation. Si nous concevons donc la rationalité à la façon du philosophe, comme la bonne construction du discours, nous reconnaissons forcément une égale rationalité à la proposition vraie et à la proposition fausse considérées chacune en elle-même.

Ainsi, la proposition « Il n'y a pas de sorcières » ne peut pas être vraie si la proposition « Il y a des sorcières » n'est pas fausse. Or la proposition « Il y a des sorcières » ne saurait être fausse si elle n'a pas de sens. Et pour qu'elle ait un sens tel qu'on ait envie de la dire fausse, il faut qu'elle présente une rationalité suffisante. Si l'idée qu'il *puisse* y avoir des sorcières est réputée « irrationnelle », alors il devient tout aussi « irrationnel » de dire qu'il n'y en a pas, puisque dans ce cas on ne sait plus de quoi on parle, ce qu'on doit admettre ou rejeter de la *natura rerum*.

En revanche, ce qui est irrationnel est de croire aux sorcières tout en professant par ailleurs, avec une conviction égale ou supérieure, d'autres dogmes qui excluent la possibilité des actions de sorcellerie. Mais, notons-le, il serait tout aussi irrationnel de *ne pas croire* à la possibilité de la sorcellerie si l'on

---

1. Voir les remarques d'Alasdair MacIntyre dans « Rationality and the explanation of action », dans : *Against the Self-Images of the Age,* Londres, Duckworth, 1971.

professait simultanément une vision générale des choses qui impliquerait que la sorcellerie doit être au moins possible. Autrement dit, on ne peut pas savoir si une croyance particulière est irrationnelle tant qu'on ne sait pas quelles sont les *autres* croyances de quelqu'un. Mais qu'est-ce que nous appelons : les croyances de quelqu'un ? Comment peut-on dire ce que croit quelqu'un ? En réalité, les croyances d'un individu ne forment pas un vaste *credo* personnel, comme si un individu pouvait donner lui-même la liste de tous les articles de son dogme et dire précisément où elle s'arrête. Ou encore, comme s'il pouvait extérioriser l'ensemble complet de ses croyances en cochant les cases d'un gigantesque questionnaire. (Croyez-vous que Jules César ait existé ? Croyez-vous qu'il y ait des tigres en Amérique du Sud ?, etc.) On sent bien que ces questions sont mal posées. Parler d'un *ensemble* de croyances ne fait sens qu'à la condition de les considérer hors d'un rapport à un sujet de la croyance. Il faut les rapporter à une *totalité* supérieure aux individus, telle que l'époque ou la culture. Nous croyons, en gros et sauf si de graves raisons nous poussent dans la dissidence, ce qu'il est normal de croire autour de nous. Un individu, interrogé sur l'*ensemble* de ses croyances, est fort embarrassé, à moins d'avoir sous la main quelque encyclopédie à laquelle il puisse nous renvoyer. Une encyclopédie figure bien le rassemblement hors des têtes de ce que chacun tient pour vrai, sans être d'ailleurs autrement choqué si la plupart des articles font périodiquement l'objet de corrections.

La philosophie de la croyance doit donc être « holiste » plutôt qu'« atomiste ». Nous posons la condition suivante à l'application du concept de rationalité : pour qu'un échantillon quelconque de pensée, sous les espèces d'une représentation (un prédicat), d'un discours (une proposition), d'une association d'idées (une inférence), d'une attitude (telle que la croyance, l'espoir, etc.), puisse être qualifié de rationnel ou d'irrationnel, il faut qu'on puisse indiquer l'ensemble de pensées auquel il convient de le rattacher à titre d'élément. Rationalité et irrationalité ne se présentent que là où il y a une construction dont les parties doivent être compatibles. Il en résulte que l'irrationalité des opinions de quelqu'un ne peut apparaître que sur le fond d'autres opinions, également partagées par cette personne, incompatibles avec les opinions qualifiées d'irrationnelles. Lorsque des opinions sont incompatibles, comment fait-on pour imputer l'irrationalité à certaines d'entre elles ? On regarde celles qui peuvent être sacrifiées, en prenant pour accordées celles qu'il n'est pas un seul instant question de réviser. Lorsqu'une contradiction est découverte entre une croyance « archaïque » et une vision du monde « éclairée », il est irrationnel de conserver l'opinion archaïque, mais seulement si l'on n'accepte pas d'aller jusqu'au bout de la révision des opinions éclairées qui lèverait la contradiction.

Il s'ensuit qu'aucune culture, « primitive » ou « avancée », n'est irrationnelle. Ce n'est pas non plus qu'elles soient l'une et l'autre rationnelles. Mais la notion de rationalité n'est pas applicable là où nous ne pouvons pas instituer un contraste entre un corps d'opinions qu'on puisse isoler (comme un fragment révisable de la représentation) et un fond de certitudes. Est-il irrationnel de croire aux sorcières ? Cette question n'a pas le même sens que celle avec laquelle on la confond et qui est : Y a-t-il des sorcières ? Je n'hésite pas à répondre qu'il n'y a pas de sorcières, mais si l'on me demande pourquoi, je ne puis faire autrement que de donner les raisons qui nous en persuadent aujourd'hui. Le villageois qui croit aux sorcières peut bien se tromper (puisqu'il n'y a pas de sorcières), il n'est pas forcément porteur d'une opinion irrationnelle. Le contraste entre l'opinion dont la rationalité est mise en question et le fond sur lequel on va en juger ne peut être établi que dans une culture.

Quand on dit que notre propre civilisation est l'expression même de la « raison moderne », ou qu'elle résulte d'un processus de rationalisation, on est victime d'une puissante image. Nous nous figurons quelqu'un (un sujet individuel) auquel différentes *options* sont présentées : il peut préférer l'option « croire à la science », mais il peut aussi choisir l'option « croire au mythe ». S'il choisit la science, il est rationnel. Or toute cette figuration repose sur une méprise. Pour faire un choix motivé, il faut disposer, non seulement de critères logiques (non-contradiction, etc.), mais de *paradigmes* illustrant ce que c'est qu'une bonne explication, une bonne analyse, une bonne décision, une bonne justification, etc. Or, c'est la culture qui fournit ces paradigmes dans l'éducation et le dressage des nouveaux venus. Le choix radical entre les possibilités culturelles est une chimère.

J'ai insisté sur ce point parce qu'il me paraît important de souligner que nous avons des *raisons philosophiques* de vouloir échapper à l'alternative de la « raison » et du « mythe ». Etant des philosophes, nous sommes par le fait même du côté de la « raison ». Mais que savons-nous de l'autre côté ? Comment savons-nous que de l'autre côté se tient notre adversaire, le mythe ? Comment savons-nous qu'il y a un et un seul côté opposé au nôtre ? Pourquoi y aurait-il, comme on le suppose ici, un Autre de la Raison, qu'on appelle depuis les Lumières le Mythe, cet héritier de la Fable ? Dans ce contexte, le concept de mythe est toujours plus ou moins celui de sa reconstruction littéraire. Le mythe est un récit fondateur, une belle histoire des origines. On oppose donc le discours non raisonné, narratif, imagé, du mythe et le discours bien raisonné, déductif ou factuel, univoque, de la science. Mais, tant qu'à se tenir sur le terrain de la théorie littéraire, pourquoi négliger le fait qu'il y a *plusieurs* formes littéraires ? Pourquoi l'autre du discours contrôlé par la raison critique serait-il le mythe, plutôt que le proverbe, la légende, l'énigme, l'*exemplum,* etc. [2] ? On retrouve ici tous les défauts du manichéisme logique. Si donc nous persistons à définir la philosophie comme un essai de pensée radicale, nous devons trouver pour elle une autre façon de s'exercer. Il faut sortir de l'alternative : positivisme ou pensée transcendentale. Il faut en sortir parce que cette opposition suppose que la discussion philosophique se tienne quelque part avant toute chute dans une partie quelconque du monde. Or cette conception n'est pas seulement incroyable, elle est aussi philosophiquement incohérente. C'est donc tout le problème du « désenchantement » et de la « modernisation » du monde qu'il faut reprendre à partir de là. Dans les deux derniers chapitres de cet essai, j'esquisse cette indispensable révision conceptuelle.

On peut partir de la querelle autour du *post-moderne.* Le succès même de cet adjectif, dont chacun reconnaît pourtant le caractère insaisissable, signale un trouble de l'opinion. On était habitué à se donner une représentation cumulative des exploits humains, qu'il s'agisse d'innovations techniques, d'inventions stylistiques, de *percées* théoriques. Il en allait comme des *records* sportifs : chaque succès place, pour un temps, un héros à l'extrême pointe des capacités humaines. L'ancien titulaire du

---

2. André Jolles a proposé de distinguer la légende, la geste, le mythe, la devinette, la locution, le cas, les mémorables, le conte, le trait d'esprit (dans *Formes simples,* tr. A.M. Buguet, Paris, Seuil, 1972).

titre doit céder la place, rejoindre les grands ancêtres au musée des trophées. Parler de post-moderne, c'est dire que les choses ont cessé de pouvoir être représentées ainsi. Le nouveau d'aujourd'hui ne surclasse pas le nouveau d'hier : il ne va pas plus loin, plus haut, plus vite, plus fort, dans la même direction. Il n'en est pas moins nouveau, puisque le moderne est maintenant marqué comme ce qui se faisait *avant*.

Dans cette affaire, le mot « post-moderne » n'est pas ce qu'il y a de plus important. Si ce terme cesse de convenir, on ne manquera pas d'en trouver d'autres. Plus important : la même notion de venir, en un sens, après le progrès, à la fin de l'histoire sensée, cette notion a déjà été exprimée plusieurs fois sous d'autres vocables. Toujours, il s'agit d'indiquer que nous ne sommes plus tout à fait à l'âge du *projet moderne*. Nous ne sommes pas de la génération des *hommes forts* (Baudelaire) qui ont accompli ce projet dans l'œuvre de Révolution. Nous sommes leurs enfants et leurs petits-enfants. Nous recevons un héritage, mais nous avons du même coup à régler la succession, à payer les arriérés. Après la Révolution règne un état d'esprit qui ne peut plus être celui d'un Ancien Régime défunt, ni celui des exaltations révolutionnaires. Cet état d'esprit peut être un mal du siècle : il s'appelle alors romantisme, wagnérisme, symbolisme, décadence, etc. Il peut aussi tenir dans un sursaut d'énergie, et s'appelle saint-simonisme, positivisme, *modernité* baudelairienne, socialisme (au sens initial du mot), etc. Comment comprendre une telle oscillation cyclothymique, ces accès de *spleen,* ces réveils futuristes ? Peut-être gagnerait-on à partir de cette observation : pour la plupart des gens, le mot « moderne » évoque avant tout une obligation, parfois déchirante, de se moderniser. Obligation de moderniser ses techniques, ses mœurs, ses façons de penser, pour tout simplement survivre. Mais il ne s'agit pas seulement de survivre matériellement dans un univers livré aux rapports de force : un tel darwinisme culturel expliquerait qu'on doive moderniser les armements, mais non les crises de consciences et les états d'âme. Il faut surtout survivre moralement, dans l'estime de soi-même. Autrement dit, l'obligation de se moderniser est le devoir de montrer qu'on est à la hauteur, non seulement de la *puissance* étrangère plus moderne, mais surtout de l'*esprit* étranger. C'est cette partie morale du procès de modernisation qui est éprouvante. S'il ne s'agissait que d'emprunter des recettes et des

procédés, on aurait seulement le souci de financer la modernisation des équipements. C'est la modernisation des esprits qui est
difficile. Pour pouvoir *accepter* les idées modernes au lieu de les
rejeter avec horreur comme inhumaines, impies ou ridicules, il
faut un état d'esprit complexe. Pour singer les étrangers plus
prestigieux, on pourrait se contenter de les envier. Mais, pour
reconnaître la *valeur* du moderne, la noblesse des idéaux
modernes, il faut trouver des ressources morales dans sa propre
tradition. Celui qui aurait honte des façons de son pays serait
en fait incapable d'être profondément saisi par les idées
modernes. La structure psychologique d'un être en passe de
modernisation apparaît donc spécialement complexe. Cet être
doit éprouver une certaine fascination pour les idées qui règnent
ailleurs (à Londres, à Paris, aux Etats-Unis). S'il n'était pas saisi
par ces autres façons de vivre et de penser, il n'accepterait pas
de critiquer les idées de ses parents, de ses voisins, de ses
maîtres. En même temps, il doit rétablir la validité supérieure
des idées de chez lui, sauf à sombrer dans l'inconsistance ou
dans le nihilisme. Cette structure psychologique se retrouve
chez les divers héros post-modernes : le Romantique allemand,
qu'obsèdent simultanément l'idée de la Liberté absolue du Soi
et celle de l'absence d'une présence du divin, tout comme le
Personnage dostoïevskien, passant sans prévenir d'un parti pris
d'occidentalisme à des convictions slavophiles fanatiques. Bref,
le post-moderne, au sens où je le prends ici, qui est celui de
Louis Dumont[3], peut être considéré comme étant le terme
opposé au moderne dans un procès qui les contient tous les
deux : le procès de la modernisation du monde. Tant que nous
parlons des idées modernes, nous pouvons nous enfermer dans
une seule tradition nationale, dans une seule capitale. En
revanche, dès que nous parlons de modernisation, nous intro-
duisons le point de vue de l'interaction des cultures nationales.
Les véritables inventeurs des idées modernes n'ont jamais l'idée
qu'ils modernisent quoi que ce soit. Ce sont des réformateurs,
des révolutionnaires, qui veulent rétablir les choses dans l'état
initial où elles auraient dû être conservées. On ne modernise
quoi que ce soit que parce qu'on a en face de soi un voisin plus
moderne, qu'on imite. Loin que la modernisation soit l'expression historique d'une raison autonome qui viendrait de décou-

---

3. Voir les articles cités plus haut (chap. III, note 6 et chap. V, note 9).

vrir qu'elle doit se fonder sur elle-même, elle est ce que l'anthropologue appelle un procès d'*acculturation*. Lorsqu'une culture moderne et une culture traditionnelle sont confrontées, celle qui est moderne provoque l'autre à rétablir l'identité collective par l'invention de synthèses plus ou moins heureuses entre ce qui vient de l'autre et ce qui vient de soi.

Chez Jean-François Lyotard, l'élaboration de la notion de post-moderne commence comme une reprise de ce qu'on appelle, dans la théorie critique de Francfort, la *dialectique des Lumières*[4]. Elle partage alors les défauts de toutes les théories qu'organise le manichéisme logique de la raison et de son Autre. En effet, la dialectique des Lumières joue sur un couple de concepts : la raison et le mythe. Il y a dialectique si la raison, pour tout ce qui nous vient d'elle, donc dans ses *œuvres,* est finalement indiscernable du mythe. Chez Lyotard, le moment moderne est fixé comme celui de la ruine des récits fondateurs autour desquels s'organisaient les cultures traditionnelles. La raison moderne est donc l'anti-fable. Mais nous nous apercevons aujourd'hui que la raison elle-même ne vivait que par la puissance des fables d'un autre genre que sont les philosophies de l'histoire. Les mythes archaïques regardaient vers l'origine : ils ne pouvaient donc fonder à chaque fois qu'une communauté particulière, l'origine étant toujours celle de notre communauté, de *nous,* les vrais hommes, par opposition à *eux,* dont les manières ne seront jamais les bonnes. A ces récits particularistes, la raison critique substitue des idéaux universalistes. Or ces idéaux nous parlent à travers de grands récits eschatologiques qui annoncent la venue d'un homme nouveau, émancipé et réconcilié avec soi-même. En détruisant notre confiance dans le récit conçu comme une source d'autorité, la modernité critique finit par priver les entreprises modernes de la légitimité qu'elles en recevaient. C'est alors le moment de la « délégitimation » et du « post-moderne ». L'*homme moderne* croyait profondément dans un sens de l'histoire : il pouvait donc prendre parti, soutenir des causes, s'engager dans une organisation politique. L'*homme post-moderne* est le même homme moderne chez qui l'esprit critique a surmonté les derniers restes de crédulité : il

---

4. J.-F. Lyotard, *La condition postmoderne,* Paris, Minuit, 1979. T.W. Adorno et M. Horkheimer, *Dialektik der Aufklärung : philosophische Fragmente,* Amsterdam, Querido, 1947.

ne croit plus dans les « grands récits » du libéralisme ou du marxisme. Pour l'homme post-moderne, les entreprises modernes se poursuivent désormais *sans nous,* en ce sens qu'elles se passent de toute légitimation par le progrès moral, par l'émancipation du genre humain, par la construction du futur radieux. La science et la technique se « développent », sans autre finalité que d'accroître l'efficacité, la « performativité », l'économie du temps, etc. On retrouve la coïncidence dialectique de la rationalité et de l'absurdité.

Mais Lyotard a poussé ensuite son analyse plus loin. Il a introduit, avec la notion de *différend,* un point de vue fécond qui permet de sortir des impasses d'une pure dialectique des Lumières. Le déplacement utile de la question, je crois, a été de ne pas s'arrêter aux seules Lumières, de se tourner vers la Révolution française pour en remarquer l'ambiguïté. Lyotard voit qu'une tension (non dialectique) a été introduite dans notre histoire, en 1789, par le fait qu'une communauté particulière a pris la parole au nom de l'humanité tout entière. Nous lisons en effet dans le Préambule de la Déclaration des droits de l'homme et du citoyen de 1789 : « Les représentants du peuple français, constitués en Assemblée nationale, (...) ont résolu d'exposer, dans une Déclaration solennelle, les droits naturels, inaliénables et sacrés de l'homme (...) » [5]. Le signataire de la Déclaration n'est pas l'humanité, ni d'ailleurs une autorité spirituelle à vocation universelle, c'est l'Assemblée nationale des représentants du peuple français. Il y a donc une équivoque dangereuse de l'acte inaugural de notre histoire française *légitime* : un seul mot du vocabulaire politique, le mot « peuple », va désigner à la fois un être particulier, historique, possédant son trésor légendaire de hauts faits, de héros et d'héroïnes, et dans le même temps le représentant momentané des plus hauts intérêts du genre humain. La tradition politique française va donc être déchirée entre un universalisme de principe et un particularisme de fait. Cette tension réapparaît dans l'appel que font les représentants du peuple à l'autorité supérieure de l'Etre suprême. Mais pourquoi l'Etre suprême autoriserait-il une nation en particulier ? Soudain, la politique humanitaire de la Révolution française se coule dans le schéma légendaire des *gesta Dei per Francos.*

---

5. Cité par J.-F. Lyotard, *Le différend,* Paris, Minuit, 1983, p. 210.

Il en résulte ce que Lyotard appelle un différend, soit un malentendu à certains égards insurmontables entre des réclamations rédigées dans des idiomes hétérogènes (« incommensurables », au sens de Thomas Kuhn). Vue de France, la politique révolutionnaire est par définition celle de la Liberté pour tous les êtres humains. Partout où les troupes françaises s'avancent, elles libèrent les peuples de la sujétion aux despotes. Tel est par exemple le point de vue de Stendhal dans *La chartreuse de Parme* : les Français, jeunes, gais, pleins d'esprit, républicains, tournent la tête des belles Milanaises, enflamment l'imagination de la jeunesse libérale, ne rencontrent d'opposition que chez les vieilles perruques. Mais, vue de l'étranger, la politique révolutionnaire de la France est la politique de puissance d'un peuple turbulent. Vue de France, la Déclaration ne réclame qu'un jugement moral. Et que pourrait être ce jugement, sinon d'approbation pour des principes si élevés ? Comme l'avait bien expliqué Kant : tant que la Révolution est pour le public européen un spectacle qui ne l'affecte pas, elle doit susciter l'enthousiasme. Vue de l'étranger par des ministres expérimentés, la Déclaration est un fait politique qui appelle une réaction politique. Elle laisse présager d'imminentes annexions, des campagnes de propagande, des essais de subversion.

Le *différend* s'exprime alors ainsi : « Après 1789, les guerres internationales sont aussi des guerres civiles [6]. » Il y aura, sur les grandes guerres qui vont déchirer l'Europe, deux mesures et deux rhétoriques irréconciliables. Pour le camp de la Révolution, l'*autre* camp est une faction qui trouble, par son existence même, la paix civile qui régnerait autrement entre les citoyens du monde. Sans les rois, sans les états-majors, sans les agents du Grand Capital, il n'y aurait pas de guerre. Sans doute les citoyens sont-ils rassemblés en divers peuples, attachés à leurs traditions et à leurs langues. Par elle-même, cette diversité est folklorique. Tous les individus sont de droit les membres de la grande association humaine. Mais pour le camp opposé, celui de la Contre-révolution, l'*autre* camp qui parle l'idiome de l'Universel est en réalité une nation : comme telle, cette nation est un être particulier et poursuit des intérêts particuliers. Il y a donc bien différend. Si nous parlons l'idiome de l'Universel, les protestations des peuples arrachés à leurs habitudes et à

---

6. *Ibid.*, p. 211 (voir aussi p. 90).

leurs cultes sont des plaintes réactionnaires. Si nous parlons l'idiome du Particulier, les grands principes du camp révolutionnaires sont des illusions ou des mensonges. La conséquence d'un différend est qu'on ne peut plus juger, ou du moins qu'on ne peut juger qu'en refusant tout bon droit à l'autre vision des choses. C'est l'époque de l'indécidable :

> « Désormais, on ne saura plus si la loi ainsi déclarée est française ou humaine, si la guerre menée au nom des droits est de conquête ou d'émancipation, si la violence exercée au titre de la liberté est répressive ou pédagogique (progressiste), si les nations qui ne sont pas françaises doivent devenir françaises ou devenir humaines en se dotant de Constitutions conformes à la Déclaration, fût-ce contre les Français. La confusion permise par les Constituants et promise à se propager à travers le monde historico-politique fera de tout conflit national ou international un différend insoluble sur la légitimité de l'autorité »[7].

La dialectique des Lumières a le défaut de la plupart des philosophies modernes : elle est incapable de reconnaître l'existence de différends, et ne parvient donc à prendre au sérieux les conflits modernes qu'au prix d'un sacrifice de l'intellect. Cette dialectique représente le conflit comme étant celui d'un parti de la raison contre un parti du mythe. Dès lors, tout le bon droit est forcément du côté de celle des deux causes qui est la bonne : à la raison on ne peut opposer que de *mauvaises raisons,* des « histoires » comme le mythe, des « voies de fait » comme la force. Mais comment se fait-il qu'il y ait cette rebellion contre la raison ? Il faut bien que la raison se soit elle-même comportée comme une puissance mystifiante. Pour reconnaître la gravité des conflits modernes, nous finissons par soupçonner que la raison avait trop facilement gagné son procès : personne n'a raison, il n'y a plus de raison nulle part, seulement des puissances engagées dans un rapport de force.

Pourtant, toute dialectique de la raison et de son Autre repose sur une opposition suspecte. La théorie critique oppose la *raison* et la *tradition* comme deux formes de légitimation. Elle emprunte cette distinction à la typologie sociologique élaborée par Max Weber. Dans certaines sociétés, la légitimité des institutions est de type traditionnel : il en a toujours été ainsi, dit-on, et c'est pourquoi il doit en être ainsi. Dans notre société,

---

7. *Ibid.*, p. 212.

la légitimité est de type rationnel : il doit en être ainsi, et non autrement, en vertu de quelque principe ou loi, dont on parvient à dériver la solution du cas présent. Chez le sociologue, cette distinction est (ou devrait être) descriptive. Elle est une façon de décrire la diversité des *raisons* que des gens appartenant à des cultures différentes tendent à donner de leurs institutions, ici des raisons tirées de la coutume, là des raisons tirées de codes élaborés par des experts, des légistes, des fonctionnaires, etc. Le sociologue rend compte de pratiques. Mais le philosophe, lui, doit conserver un sens normatif au mot « raison ». Il y a pour lui de bonnes et de mauvaises raisons. La distinction du sociologue devient chez lui *dialectique* : elle oppose une méthode de justification par des raisons (la nôtre) et la méthode de justification par l'absence de raisons (la leur). Fonder les institutions sur la tradition, c'est maintenant les fonder sur l'absence de fondement, sur le simple fait que ces institutions sont là. De descriptive, la théorie est devenue critique. La théorie critique commence par fixer, avant toute description, que la méthode de justification d'un état de fait par des raisons tirées de la tradition est une méthode frauduleuse. Ces prétendues raisons ne justifient rien. Une institution n'est pas encore légitimée si l'on a seulement dit qu'elle était là depuis longtemps ou depuis toujours. Mais, en se faisant critique, la théorie perd le droit de servir de la typologie, qui est un instrument de la sociologie comparative. Pour la théorie critique, il n'y a plus rien à comparer, puisqu'elle n'oppose plus que la véritable légitimité, celle qui s'obtient par notre méthode, et la légitimité irrationnelle ou mythique qu'on obtient par toute autre méthode. Le sociologue, s'il est comparatiste, doit être prêt à dire : dans cette société traditionnelle, les gens considèrent qu'une institution est d'autant plus *rationnelle* (c'est-à-dire conforme à leurs exigences d'une satisfaction intellectuelle) qu'elle est plus traditionnelle. Il ne lui est pas permis de dire : dans cette société traditionnelle, les gens se contentent d'explications irrationnelles et de justifications mystifiantes.

Ce dont nous avons besoin pour nous faire une conception non dialectique du post-moderne et des différends qui le divisent, c'est de retrouver la signification sociologique de cette « rationalisation » que Max Weber avait caractérisée comme *Entzauberung*.

On a parfois proposé de traduire ce mot d'*Entzauberung* par
« dépoétisation ». Cette traduction est moins satisfaisante pour
le sociologue qui veut rester fidèle à l'intention de Max Weber.
En revanche, elle exprimerait mieux le sens un peu dévié dans
lequel le mot est souvent utilisé. Cet écart signale la difficulté
qu'a un esprit contemporain à se placer au point de vue du
sociologue. Il est curieux que Raymond Aron lui-même, auteur
wébérien et qui a pleinement accepté le fait que nous vivions
dans un monde « désenchanté », donne une explication du
concept où l'on croit entendre une note vaguement romantique :

> « Ce qui caractérise l'univers dans lequel nous vivons, c'est
> le désenchantement du monde. La science nous accoutume à ne
> voir, dans la réalité extérieure, qu'un ensemble de forces aveu-
> gles que nous pouvons mettre à notre disposition, mais il ne
> reste plus rien des mythes et des dieux dont la pensée sauvage
> peuplait l'univers. En ce monde dépouillé de ses charmes et
> aveugle, les sociétés humaines se développent vers une organisa-
> tion toujours plus rationnelle et plus bureaucratique »[8].

Ce sont ici les *charmes* au sens du chant poétique, pas au sens
du sorcier. L'explication d'Aron n'évoque ici la pensée sauvage
que pour la limiter à des formes d'expression pour nous
étrangères au sérieux des choses, celles qui peuplent poétique-
ment le monde d'habitants fantastiques. Il est sous-entendu
qu'un monde désenchanté est un monde plus réel, mais un peu
ennuyeux. Il ne parle plus, il ne nous dit rien. On a ici la
conception littéraire du mythe considéré comme une explication
naïve du monde naturel. Quand on a rencontré d'abord le
mythe sous la forme de la fable, au cours de ses études
classiques, on a retenu que chaque dieu était associé à une force
de la nature : il y a un dieu pour la foudre, un pour l'océan, etc.
Ces dieux sont une mauvaise explication. La raison chasse ces
créatures dès qu'elle s'éveille. Mais, dans cette reconstruction
littéraire, les puissances sacrées ont un visage inoffensif. Elles
composent un décor « enchanteur » au sens de « féerique » ou
de « merveilleux ». Ce sont plutôt les adorables nymphes et les
délicieuses naïades d'un ballet à Vaux-le-Vicomte ou à Versailles, que les forces chtoniennes et ouraniennes du mythe originel.
Le monde avant désenchantement figure un peu trop celui

---

8. *Les étapes de la pensée sociologique*, Paris, Gallimard, 1967, p. 563.

qu'on a dû quitter en grandissant : c'est l'univers du Père Noël, des bonnes fées, de la crédulité.

Pourtant un monde enchanté ne peut pas contenir de bonnes fées s'il n'en contient pas de mauvaises. Si un paysan du Bocage [9] s'aperçoit qu'on lui a jeté un sort (ses vaches meurent inexplicablement, son blé ne vient pas, sa femme tombe malade), il ne se réjouit pas de ce que le monde a cessé de se taire. Il n'est pas « enchanté », au sens citadin du terme, de ne plus être livré à lui-même au milieu d'une nature muette. Au contraire, il s'en inquiète et part à la recherche de quelqu'un qui puisse le désensorceller. Ce paysan qui croit pouvoir échapper à ses malheurs en se faisant désenchanter a, manifestement, une autre conception du désenchantement que celle évoquée plus haut. Cette conception n'est-elle pas elle-même une partie intégrante de l'univers encore enchanté ? Sans doute, et c'est pourquoi nous devons partir d'elle pour avoir une conception authentiquement sociologique de ce qui est en cause dans le *Zauber* et dans l'*Entzauberung*. Le monde désenchanté est celui où l'on fait venir le vétérinaire pour les vaches, l'ingénieur agronome pour le blé, le médecin pour la famille. L'univers enchanté est celui où l'on fait venir quelqu'un pour tout cela à la fois, pour la coïncidence de tous ces malheurs.

On consultera avec profit l'article « Enchantement » du *Dictionnaire de théologie catholique* [10]. Le théologien, à la différence du philosophe, met aussitôt les choses à leur véritable place. Il ne s'agit pas tant de croyances, d'explications primitives des phénomènes naturels, de visions du monde pré-scientifiques. La place des enchantements est du côté des opérations, non des représentations de la nature. L'enchantement, rappelle l'auteur de l'article, est l'*incantatio,* l'art d'obtenir des prodiges par le chant. Il s'agit donc d'une magie, laquelle ne doit pas être entendue dans le sens métaphorique (et le plus souvent *faste*) du poète classique, mais dans le sens où la magie rend compte de ces forces mauvaises qui fomentent notre perte. Le théologien sait énumérer les espèces de magie (reconnues par l'Eglise) : les charmes, les enchantements, la divination, les évocations, la fascination, les maléfices, les sortilèges. Or le trait

---

9. Voir l'ouvrage de Jeanne Favret-Saada, *Les mots, la mort, les sorts,* Paris, Gallimard, 1977.

10. A. Vacant et E. Mangenot, *Dictionnaire de théologie catholique,* t. V, fascicule 1, 1939. L'article est signé C. Antoine.

commun à toutes ces pratiques est qu'elles sont des paroles efficaces. On retrouve ici l'analyse de l'ethnographe : « La sorcellerie, c'est de la parole, mais une parole qui est pouvoir, et non savoir ou information » [11]. Mais ce *pouvoir* est moins un pouvoir sur la nature qu'un pouvoir sur *vous*. L'anthropologie rationaliste, par exemple celle de Frazer, voit dans la magie une sorte de technique illusoire. On voudrait obtenir les résultats immédiatement, par des signes, sans se donner la peine de travailler pour les produire. Cette interprétation ne voit partout que les rapports entre l'homme et la nature : elle manque les rapports entre les êtres humains. Car un monde *enchanté* est un monde dans lequel la question qui se pose aussitôt, quand le malheur s'abat sur vous, sera : « *Y en aurait pas, par hasard, qui te voudraient du mal ?* » [12]

De façon générale, on conçoit difficilement qu'une théorie de l'*Entzauberung* puisse être seulement esquissée sans que soient prononcés les mots *souffrance, malaise, danger, risque, angoisse, faute, ennemi, perdition,* ainsi que ces autres mots qui leur répondent : *remède, guérison, salut, assurance, apaisement, offrandes et expiations, secours, prières,* etc. Les théories de la religion sont le plus souvent construites sur le présupposé des Lumières : la *raison* s'oppose au *mythe,* le mythe est une *fable.* La fable ne vaut rien comme explication de la nature : l'intelligence doit finir par abandonner la religion pour la science. Mais la fable a la plus grande valeur esthétique : elle montre le monde comme *belle totalité* alors que la science y voit un *chaos* indifférent. Ces théories manquent le fait que les pratiques magico-religieuses répondent manifestement à la pensée de la *possibilité du malheur.* Dans la théorie rationaliste de la religion on ne voit plus assez comment les gens ont des soucis du genre : Aurai-je une descendance nombreuse ? Que deviendront les miens pendant mon absence ? Réussirai-je l'épreuve fixée ? Que m'arrivera-t-il sur la route ? Il s'agit d'être délivré du mal : c'est donc de là, et non de l'essor de la physique galiléenne, qu'il faut partir pour décrire la variété du monde « enchanté ».

Le désenchantement du monde a bien sûr un aspect intellectuel, il peut même être formulé de façon à recevoir son principe philosophique. A savoir : « Si seulement on le voulait, on

---

11. J. Favret-Saada, *op. cit.,* p. 26.
12. Formule du diagnostic d'enchantement, citée par J. Favret-Saada, *op. cit.,* p. 24.

pourrait, en quelque cas que ce soit, découvrir qu'il n'y a en principe aucune puissance mystérieuse qui joue un rôle quelconque ; et qu'en principe il est possible de tout contrôler grâce au calcul » [13]. Cette définition de Max Weber contient déjà toute la critique de la métaphysique occidentale comme « métaphysique de l'être comme calculable et maîtrisable ».

Mais, si nous nous en tenons à cette définition, qui loge toute l'affaire dans la représentation de la nature et l'épistémologie, nous voyons se mettre en place une dialectique des Lumières. Car les lois de la nature dont se réclame le parti de la démystification du monde sont elles-mêmes une contre-mythologie destinée à éliminer la mythologie primitive. La mythologie de la raison remplace celle de la superstition. Comme l'écrit Wittgenstein :

> « Toute la vision moderne du monde repose sur l'illusion que les prétendues Lois de la Nature soient les explications des phénomènes naturels. Ainsi, les gens s'en tiennent aux Lois de la Nature comme à quelque chose d'inviolable, à la façon des Anciens qui s'en tenaient à Dieu et au destin » [14].

L'*Aufklärer* ne pose pas la question : *Qui m'en veut ?* Il ne la pose pas s'il veut se représenter ce qui lui arrive comme un phénomène naturel. Il renonce à donner à tous les incidents une signification humaine. Il les comprend dans le contexte du jeu des forces naturelles et non dans celui d'un drame. L'*Aufklärer* veut savoir comment les effets observés ont été obtenus, par quels mécanismes. Il accepte sagement de limiter l'exercice de sa raison aux questions auxquelles il est possible de répondre par les méthodes de la science. Mais, pour avoir ainsi restreint son enquête, il a laissé se constituer un Autre de la raison. Il a livré une part de lui-même à l'autre chose qui règne dans cette terre inconnue, impénétrable à l'esprit humain. Cette part est celle du destin, du malheur, du guignon, de la malchance, de la poisse [15].

Dans le principe philosophique du désenchantement énoncé par Max Weber, on peut trouver en fait deux conceptions des Lumières. La première est ambitieuse, prométhéenne : le « calcul humain », par quoi il faut entendre la capacité à traiter n'importe quelle situation comme un problème à analyser en

---

13. Max Weber, « La science comme vocation », dans : *Gesammelte Aufsätze zur Wissenschaftlehre,* Tübingen, J.C.B. Mohr, 1951, p. 578.

14. *Tractatus logico-philosophique*, n° 6.371 et n° 6.372.

15. Voir l'étude d'Edmond Ortigues sur « Le destin et les oracles », dans : *Religions du livre, religions de la coutume,* Paris, Le Sycomore, 1981, pp. 39-57.

« facteurs » dont les « relations » donnent, selon des « formules » authentifiées par la science, des « solutions » entre lesquelles nous devons choisir, ce calcul humain est tout-puissant. Mais cela veut dire que le calcul humain va réussir là où la magie disait qu'elle le pouvait, mais ne le démontrait pas toujours. Le calcul se pose en concurrent de la magie. Les Lumières sont alors en possession du vrai mythe et de la magie réelle. Et c'est forcément ainsi que le discours des Lumières sera entendu au village, dans le Bocage ou dans la Brousse.

L'autre conception est sage, modeste. Elle dit que là où le « calcul » ne peut rien commencent la « fatalité », le « hasard », la « fortune », et qu'il n'y a rien à faire. Cette conception ne reconnaît pas un sens au malheur. Dans son livre sur la sorcellerie du Bocage, Jeanne Favret-Saada fait apparaître le *différend* qu'il y a entre un superstitieux et un esprit éclairé. L'esprit éclairé tient à interpréter les pratiques magiques en termes de croyances. Elles sont pour lui les conséquences inévitables de l'adhésion à une théorie physique erronée. L'esprit superstitieux sait bien qu'il souffre et réclame qu'on lui explique ce qui lui arrive. Or le tenant du « discours de la modernité » paraît nier, non seulement que l'explication par la sorcellerie soit valide, mais qu'il y ait souffrance. Le premier voit un malheur, dont il faut rendre compte, là où le second ne voit rien. Au village, l'agent local des Lumières, médecin ou instituteur, commence par séparer la nature et l'homme. Il y a d'un côté les phénomènes à « calculer » et de l'autre les relations humaines. Une fois cette séparation admise, il est impossible que le villageois puisse être tenu pour la victime de quoi que ce soit quand ses affaires vont mal. L'agent local des Lumières demande donc au villageois d'apprendre à isoler *soi* du contexte général : si ses lapins dépérissent, ce sont ses lapins qui sont atteints et non pas lui ; si le ménage de sa fille se détraque, c'est son affaire à elle et non la sienne. Le villageois doit se moderniser, devenir un homme d'aujourd'hui, et cela veut dire : lorsqu'il se croit atteint par la *malchance*, comme la Médée, dire « Une chose me reste : moi » [16]. Tel le Moi fichtéen ou romantique, le

---

16. Paul Veyne, de façon suggestive, résume ainsi ce que serait une morale moderne du souci de soi.

Moi,
Moi, dis-je, et c'est assez.

(cf. « le dernier Foucault et sa morale », *Critique*, 1986, n° 471-72, p. 939.)

villageois doit apprendre l'*ironie* : en réalité, il ne s'identifie à aucune « détermination finie ». Mais il paraît alors être constitué en *sujet invulnérable* parce qu'insaisissable. Tout ce qui arrive, affecte le Non-Moi. Rien ne peut toucher Moi. Alors, le discours rationaliste entre lui-même dans une dimension magique de désenvoûtement ou de désensorcellement : de *désenchantement,* pris au sens d'une opération qui annule le mauvais sort, élimine la malchance, garantit le salut. Car toute définition de la sorcellerie doit accepter au moins ceci : la victime possible d'une agression magique est quelqu'un qui offre prise au malheur ; il peut être attaqué parce qu'il est de ce monde, qu'il y a des biens, qu'on peut ruiner, des entreprises, qu'on peut déranger, une famille, qui dépend de lui. En lui demandant d'instaurer *soi* ailleurs que dans sa maison, sa terre, sa récolte, sa famille, l'*Aufklärer* paraît nier que le villageois puisse être atteint, lui et non un autre, dans tout ce qui lui est cher. Ce villageois n'en croit pas ses oreilles : ainsi, cette maison familiale, ces vaches, cette épouse, ces enfants, tout cela ne serait pas *lui*. Il pourrait y voir un Non-Moi. Mieux, il le doit s'il veut se poser comme Moi infini. Mais peut-être la perspective de s'identifier au Moi infini lui paraît-elle inhumaine.

Mais que faisons-nous de la guerre entre la philosophie (raison) et le mythe (Autre de la raison) ? Nous n'y croyons pas, car nous nous souvenons de ce que dit Aristote : *kai o philomuthos philosophos pōs esti,* l'amateur de mythes est philosophe à sa façon [17]. Le mythe n'est pas l'Autre de la raison, il est seulement un autre régime de la même raison humaine. Dans ce régime de la raison mythologique, on n'a pas encore institué des restrictions à l'exercice de la raison (et créé ainsi l'apparence d'un Autre de la raison). Il est permis de s'*étonner* des hasards, des coïncidences, des étranges régularités, des rencontres frappantes, des correspondances parlantes, etc. La rationalité du mythe est trop riche pour un estomac philosophique, qui ne peut la supporter qu'éclaircie, amendée et assagie par des distinctions métaphysiques : le possible et le nécessaire, l'essentiel et l'accidentel, l'ontologique et l'empirique, l'intelligible et le sensible, etc. Mais la rationalité de la philosophie est encore trop dense, trop concentrée pour le goût de notre science, laquelle réclame qu'on fixe d'abord les conditions d'une solu-

---

17. *Métaphysique,* Livre Premier, 982b 19.

tion possible à tous les problèmes que l'on entend poser. La bonne « loi des trois états » n'est pas celle qui va d'une irrationalité primitive à une rationalité moderne : c'est celle qui va d'une rationalité *épaisse* à une rationalité *claire* (au sens où une eau est claire).

« Les hommes n'ont pas commencé à penser lorsqu'ils ont inventé, en Grèce nous disent les classicistes, le "discours cohérent". L'invention doit avoir consisté dans une *décomposition* : on a séparé les différentes dimensions de l'existence, chacune dans une séquence distincte du discours. Le discours rationnel dit une chose à la fois, tandis que le mythe, ou le poème, fait allusion à tout dans une phrase. L'un est plat, l'autre est "épais". (...) La rationalité philosophique vise encore la totalité, même si c'est une totalité "désépaissie". La rationalité scientifique, qui prédomine chez les modernes, vise chaque fois une tranche de la totalité. Elle est essentiellement instrumentale (rapport des moyens aux fins), et spécialisée en ce sens qu'elle s'exerce à l'intérieur de compartiments qui ne sont pas définis rationnellement mais empiriquement » [18].

---

18. Louis Dumont, *Essais sur l'individualisme,* pp. 207-208.

7. LE PROJET D'AUTONOMIE

> « L'espéranto. La sensation de dégoût lorsque nous prononçons un mot *inventé* avec des syllabes dérivatives inventées. Le mot est froid, n'a pas d'associations et joue pourtant au "langage". »
>
> WITTGENSTEIN, *Vermischte Bemerkungen,* p. 52, trad. J. Bouveresse

La philosophie contemporaine exprime, plus souvent qu'elle n'aide à la résoudre, une difficulté de la culture moderne.

Chaque fois que nous opposons la *raison* à la *tradition,* nous donnons une expression philosophique à la puissante poussée de notre culture dans le sens de l'innovation, de l'expérimentation, de l'ingéniosité. Cette poussée vers le nouveau prisé comme tel, le sociologue l'appelle *individualisme.* Nous préférons par principe les situations où les individus ont le choix à celles où ils reçoivent toutes faites de leur milieu les réponses aux questions qu'ils n'ont pas eu l'occasion de poser. Le meilleur des mondes est pour nous celui où chacun a l'*embarras du choix.* Nous trouvons paresseuse l'idée de faire comme on a toujours fait, et absurde celle de faire la chose ainsi pour la raison qu'on l'a justement toujours faite ainsi. Nous jugeons que les gens qui vivent sous la règle de la tradition sont encore des enfants. Ils n'ont pas atteint l'âge d'une raison active.

L'opposition de la raison et de la tradition est plus un proverbe philosophique de la culture qu'une maxime sérieusement réfléchie par des philosophes. En réalité, il est très difficile de donner un sens cohérent à cette antithèse. On nous dit que ce sont deux modes de légitimation des usages et des institutions. Or nous comprenons bien comment la raison est une source de légitimité. Mais comment peut-elle l'être à côté d'autres ? Comment y en a-t-il encore d'autres en dehors d'elles, par exemple la tradition et l'inspiration (charisme) ? Il faudrait donc qu'il y ait une légitimation par un principe légitime de légitimation et une autre par un principe illégitime. Il faudrait distinguer, dans notre typologie, la légitimation qui légitime et celle qui, sans avoir la moindre force légitimante, n'en serait pas moins une forme de légitimation.

La seule philosophie qui pense jusqu'au bout l'opposition de la raison individuelle et de tout ce qui serait reçu, transmis, traduit, donné par une autorité extérieure, est l'*empirisme*. Cette doctrine ne reconnaît qu'une seule source légitime d'assertions valides : *mon* expérience. L'exemple scolaire l'enseigne : j'ai le droit de dire que toutes les Anglaises *que j'ai vues* étaient rousses, je n'ai pas le droit de dire que toutes les Anglaises *sont* rousses. On sait que cette philosophie, dans sa tentative de reconstruire le monde sur une base solipsiste, finit par se contenter d'un monde pour philosophes, d'une construction hypothétique liant vaguement les *sense data,* les données immédiates de la conscience. Elle bute sur l'obstacle du prétendu problème de l'induction (problème que l'empirisme se crée à lui-même par son axiome épistémologique initial). Ce n'est pas mon expérience qui m'apprend que ces femmes rousses étaient des Anglaises. Je ne les ai pas *vues* naître en Angleterre de parents anglais. Je n'ai pas vu leurs parents, ni d'ailleurs l'Angleterre comme telle, tout juste quelques rues, quelques parcs, quelques *pubs.* J'ignore aussi si des femmes rousses restent rousses quand elles ne sont plus en ma présence. Mon expérience se réduit à bien peu de choses. Tout ce qu'on croyait savoir par l'expérience doit être reformulé : on ne le savait pas, on avait seulement risqué une hypothèse sur la prolongation dans le futur des régularités observées dans le passé. Les essais sérieux de philosophie empiriste montrent qu'on vise ici à corriger le concept usuel de l'expérience plutôt qu'à fonder le savoir sur notre expérience au sens où on entend celle-ci d'ordinaire. Car ce qu'on appelle d'habitude expérience inclut la tradition : les témoignages de nos semblables, les livres de nos auteurs, l'enseignement de nos maîtres, la sagesse anonyme de notre langue. Le sujet de l'expérience est collectif. Les efforts immenses qui ont été faits, de Hume jusqu'au Cercle de Vienne, pour individualiser ce sujet ont abouti à un résultat important pour la philosophie : ils ont prouvé que la reconstruction du savoir empirique collectif en un savoir empirique individuel était strictement impossible.

Lorsqu'il essaie d'individualiser autant qu'il peut l'autorité, la source de légitimation, le philosophe contribue, dans le style qui est le sien, à la réalisation du *projet d'autonomie,* qui est en effet le contenu du « projet moderne ». Mais le philosophe exprime à nouveau la culture quand il s'avise qu'il lui faut poser le *problème des valeurs*. En réalité, ce qu'on appelle ainsi est moins un problème (susceptible d'être résolu) qu'une expression concentrée des tensions de notre culture. On peut être certain d'avance que tous ceux qui s'attaqueront au « problème des valeurs » devront se contenter d'une pseudo-solution ou bien s'avouer vaincus. Car ce problème est construit pour être insoluble. Il ne doit surtout pas y avoir une solution : toutes les solutions qu'on pourrait offrir sont d'avance exclues par la formulation même du problème. Quel est en effet le contenu de ce problème ? On nous dit qu'il s'agit de justifier les valeurs, de leur trouver un fondement. L'individu qui a l'embarras du choix s'en sort en faisant appel à des critères d'excellence ou d'opportunité. Autour de lui, d'autres utilisent d'autres critères. Il faut maintenant s'expliquer sur le choix des critères eux-mêmes. Ainsi, dans l'énoncé du problème des valeurs, le mot « valeur » nous dit que c'est l'individu qui doit décider. Personne n'a le droit de décider pour lui. Il y va de sa dignité et de sa responsabilité. Pourtant, dans le même énoncé, le mot « fondement » nous dit que tous les choix ne sont pas équivalents. Certains choix sont franchement mauvais, voire criminels. Il y a donc une possibilité de raisonner en général sur la valeur des choix. Mais un raisonnement valide vaut pour tous. Dès lors, la conscience individuelle n'est plus l'instance ultime d'évaluation. C'est la Raison ou le Concept qui décident, ce n'est plus la Conscience, puisqu'on vient d'admettre que les préférences personnelles ne pouvaient pas changer un crime en bonne action, ni une décision stupide en trait de génie. Et ici, le philosophe ne peut que s'arrêter, interdit. Il est bien près, en effet, de renoncer au mot « valeur » lui-même. Il est tenté de subordonner la liberté de conscience à une autorité supérieure, peut-être transcendentale, assurément inhumaine.

En somme, s'il y a des valeurs, elles ne peuvent pas être fondées, et, si elles sont fondées, elles ne sont pas des valeurs. Peut-on même dire : *Il y a* des valeurs ? Non, il ne faut pas le dire. Si nous avons pris l'habitude de parler de valeur, c'était justement pour exclure qu'elles soient là, qu'il y en ait, que quelque chose corresponde du côté du monde à nos jugements de valeur. S'il y avait des valeurs, elles existeraient que nous le voulions ou non. Mais, arrivé ici, le philosophe contemporain s'inquiète à bon droit de ce que les questions les plus graves de l'existence commencent à ressembler un peu trop à des questions de goût. On dit : Ce qu'il y a vraiment, ce ne sont pas, par exemple, de bons épinards, mais plutôt des épinards et moi qui les aime tendres, cuits à la vapeur, etc. En parlant ainsi, nous avons encouragé le relativisme (« à chacun ses valeurs »), l'historicisme (« autre époque, autres valeurs »), le nihilisme (« en soi rien ne vaut »).

La philosophie se fait alors rationaliste. Le rationaliste commence par souscrire au projet moderne de l'autonomie individuelle, projet dont il faut rappeler qu'il n'est pas l'inventeur (on ne saurait trop insister sur le fait que le porte-parole le plus autorisé, le plus vigoureux, de la pensée moderne n'est pas le rationaliste avec son principe de raison, ni l'idéaliste avec son Esprit, mais l'empiriste avec son épistémologie des idées sensibles). Il est donc interdit que quelqu'un impose *ses* valeurs à autrui. Et, en effet, au nom de quoi le ferait-il ? La notion même de valeur est faite pour dénoncer la tyrannie qui s'instaure chaque fois que la préférence singulière d'un seul veut commander le choix de tous. Mais, poursuit le rationaliste, tout n'est pas perdu. Un partage doit être fait entre certaines de mes « préférences », qui sont en effet subjectives (goûts, caprices, inclinations « empiriques »), et d'autres « préférences » qui sont en fait rationnelles. Ces dernières, j'ai le droit de les imposer à autrui puisqu'à moi aussi elles sont imposées, non par un tyran qui m'asservirait, mais par la raison impersonnelle qui nous éveille à notre liberté véritable.

La philosophie rationaliste espère pouvoir faire passer au compte d'une raison impérative les contraintes morales qui étaient jadis signifiées aux individus par les liens sociaux d'une société d'ordres. Son *obligation morale* est la forme intériorisée de l'ancienne subordination sociale[1]. Dans d'innombrables *théories de la justice,* les philosophes essaient de montrer comment une application honnête du principe de contradiction aux problèmes de l'organisation d'une société permet de présenter comme venant de la raison impersonnelle, et non de moi, sujet empirique « intéressé », toute une série de principes moraux et politiques : les grands droits de l'homme, les règles de réciprocité, certaines formes de solidarité. On est inquiet de

---

1. Louis Dumont, *Homo æqualis,* Paris, Gallimard, 1977, pp. 75-82.

constater que le plan rationnel d'une société humaine dont les citoyens seraient autonomes ressemble si fort au règlement d'un club de discussion, d'une *société de pensée*. On retrouve le modèle d'expérience sociale de la République des Lettres, dont Koselleck a montré la puissance sur les esprits au XVIIIᵉ siècle.

Les philosophes peuvent bien parler d'un *projet moderne* : lorsqu'ils énoncent ce projet, on a l'impression qu'ils le tiennent pour déjà réalisé. Des liens sociaux qui seraient de pure réciprocité seraient des liens *intersubjectifs* : chaque *ego* a vis-à-vis de lui un *alter ego,* dont il est lui-même l'*alter ego.* En vertu de cette réciprocité, la répartition équitable des richesses disponibles — qu'il s'agisse des bénéfices d'une entreprise commune ou d'un temps de parole dans une délibération — doit être celle qui s'établit d'elle-même par un consensus librement formé. Les gens que le philosophe réunit par des liens intersubjectifs n'ont pas d'identité *sociale* : ils ne sont pas des parents, des enfants, des médecins du corps ou de l'âme, des malades à la charge des autres, des chefs légitimes, des experts ou des apprentis, des notables ou des bouffons, etc. Ils n'ont donc pas entre eux des relations véritablement sociales. Ils se contentent de *communiquer,* comme des collègues à un congrès scientifique, ou de coopérer, dans des conditions qu'ils ont eux-mêmes fixées, comme les partenaires d'un *joint venture* (c'est-à-dire d'une *societas* au sens du droit romain).

Cornelius Castoriadis fait remarquer que l'« activité visant l'autonomie » de soi et de tous (qui est et doit rester pour nous la plus haute activité concevable) pose les plus graves problèmes, tant philosophiques que politiques, justement parce que le social ne se réduit pas à l'intersubjectif[2]. Le point décisif est que les sociétés trouvent une *identité collective* dans une culture particulière, laquelle présente, au moins idéologiquement, une cohérence qu'aucune intersubjectivité ne pourrait produire. Toute l'anthropologie moderne montre qu'une culture est un système réel, et non pas la résultante momentanée d'une myriade d'interactions individuelles entre des « sujets » ayant chacun leur style de vie personnel.

> « A étudier une société archaïque, on a par moments l'impression vertigineuse qu'une équipe de psychanalystes, écono-

---

2. Cornelius Castoriadis, « Individu, société, rationalité, histoire », *Esprit,* 1988, nº 2, p. 111.

mistes, sociologues, etc., de capacité et de savoir surhumains, a travaillé d'avance sur le problème de sa cohérence et a légiféré en posant des règles calculées pour l'assurer »[3].

L'image de l'équipe chargée de fabriquer par son *teamwork* une société cohérente (même archaïque) évoque aussitôt à l'esprit les résultats le plus souvent lamentables du travail des « commissions » chargées par l'administration de concevoir le plan d'ensemble d'un quartier, d'un bâtiment public, ou même d'un type de voiture. La discussion rationnelle des problèmes collectifs, à elle seule, n'aboutit souvent qu'à des compromis sans imagination. Mais, derrière le comité intersubjectif dont parle Castoriadis, on sent percer la figure inspiratrice du *Philosophe législateur*. Si nos lois sont bonnes, seul un Sage, aux capacités surhumaines, a pu les rédiger. On retrouve alors Rousseau :

> « Pour découvrir les meilleures règles de société qui conviennent aux Nations, il faudrait une intelligence supérieure. (...) Celui qui ose entreprendre d'instituer un peuple doit se sentir en état de changer, pour ainsi dire, la nature humaine. (...) Voilà ce qui força de tout temps les pères des nations à recourir à l'intervention du ciel et d'honorer les Dieux de leur propre sagesse, afin que les peuples, soumis aux lois de l'Etat comme à celles de la nature, (...) obéissent avec liberté et portassent docilement le joug de la félicité publique »[4].

Rousseau donne ici l'interprétation *politique* de la religion. La religion sert d'abord à fonder les institutions, elle est un instrument politique. Mais tout ce texte qui met en scène la figure légendaire du sage Législateur montre comment nous sommes en fait incapables de nous représenter l'*institution d'un peuple* autrement qu'en faisant appel à des modèles plus familiers : l'adoption d'un texte de loi par le Législateur, la convention signée par des parties contractantes, les instructions communiquées par les fondateurs aux nouveaux venus. Nous faisons donc comme si la question de savoir de quelle identité collective doter le groupe précédait la réponse donnée dans ce groupe. Mais un groupe sans identité collective n'est justement pas ce que Rousseau appelle un *peuple,* capable de s'attacher à des institutions, les siennes pour les conserver, d'autres pour se

---

3. C. Castoriadis, *L'institution imaginaire de la société,* Paris, Seuil, 1975, p. 64.
4. *Du contrat social,* Livre II, ch. VII, « Du Législateur ».

moderniser. Castoriadis fait apparaître ainsi la difficulté intellectuelle :

> « Toute société jusqu'ici a essayé de donner une réponse à quelques questions fondamentales : qui sommes-nous, comme collectivité ? que sommes-nous, les uns pour les autres ? où et dans quoi sommes-nous ? que voulons-nous, qu'est-ce qui nous manque ? La société doit définir son "identité". (...) Sans la "réponse" à ces "questions", sans ces "définitions", il n'y a pas de monde humain, pas de société et pas de culture — car tout resterait chaos indifférencié »[5].

Si, dans ce texte, nous faisions sauter les guillemets, nous aurions l'expression pure et simple du point de vue de la philosophie moderne sur la société. On se figurerait le *peuple assemblé,* et devant lui des *orateurs* qui, dans les conditions d'une libre délibération, tiendraient de *beaux discours.* Mais ces orateurs, où ont-ils appris la rhétorique ? Qui leur a appris à parler ? Comment l'assemblée a-t-elle été convoquée ? Comment a-t-elle fixé son ordre du jour ? Il convient, bien entendu, de rétablir les guillemets : nous parlons ici métaphoriquement, par figures.

> « Il ne s'agit pas de questions et de réponses posées explicitement, et les définitions ne sont pas données dans le langage. Les questions ne sont même pas posées préalablement aux réponses. La société se constitue en faisant émerger une réponse de fait à ces questions dans sa vie, dans son activité. C'est dans le *faire* de chaque collectivité qu'apparaît comme sens incarné la réponse à ces questions (...) »[6].

La question inévitable est maintenant de savoir ce qu'on peut dire de l'institution d'un peuple si l'on veut en parler sans métaphores. Le terme philosophique qui se présente alors chez Castoriadis est celui d'« auto-institution ». L'emploi d'un tel concept suscite certains paradoxes, qui sont d'ailleurs bien connus depuis Fichte, chez qui ils s'attachent au concept de l'*auto-position (das Sichselbstsetzen).* Ces paradoxes peuvent s'énoncer ainsi :

1) ou bien le concept est pratique, il nous propose un but, présente une valeur critique, mais alors il sert à condamner

---

5. *L'institution..., op. cit.,* p. 205.
6. *Ibid.,* p. 206.

toutes les formes d'humanité existantes, de sorte que le projet d'autonomie devient utopique ;

2) ou bien le concept est métaphysique, il ne sert plus à choisir une forme d'existence, mais à préciser le statut ontologique de l'humain (le Moi n'est pas *posé* par autre chose, il n'est pas non plus *posant* autre chose que soi, il est donc *sui-posant*), mais alors la conséquence est que tout ce qui est humain, quel qu'en soit le visage et l'allure, satisfait forcément à ce qui a été fixé comme la condition de possibilité de l'humain.

Le lecteur français, en général, n'a pas lu Fichte. Pourtant, la difficulté que je viens d'énoncer lui est familière sous une autre forme. Il suffit de la formuler sur le registre sartrien de l'opposition entre l'authenticité et la mauvaise foi. L'auto-position s'appelle maintenant « projet existentiel fondamental ». Si l'on prend la notion de liberté radicale au sens moral, elle doit permettre de définir le seul projet moral honnête : vivre résolument selon la liberté radicale. Tous les projets différents sont condamnés parce qu'on n'ose pas y assumer la liberté radicale. Bientôt, pourtant, il apparaît que tout le monde est condamné, chacun ayant consenti à une forme ou une autre d'aliénation. Le projet moral devient utopique. Mais, simultanément, la notion existentialiste d'un choix radical du sens de la vie et des valeurs reçoit une acception métaphysique. Elle n'est pas une possibilité, elle est le trait de la condition humaine. L'homme comme tel est assigné par le métaphysicien au statut de *causa sui*. Dès lors, quoi qu'il fasse, qu'il se vautre dans l'aliénation ou qu'il participe à tous les combats de libération, l'homme doit témoigner de son statut ontologique. C'est le résultat prévisible de la réduplication métaphysique. L'homme comme tel, *qua homo,* est l'être qui se choisit lui-même dans le choix de sa valeur suprême : donc l'existentialiste athée a choisi la liberté radicale, mais l'existentialiste chrétien a choisi tout aussi radicalement le Dieu caché, et le marxiste a choisi radicalement la Matière dialectique, tandis que le struturaliste, lui, choisissait le Procès sans sujet.

A son tour, Castoriadis rencontre cette difficulté. Il appelle société hétéronome celle dont le Législateur, dirait Rousseau, a dû honorer les Dieux de sa propre sagesse. Il appelle société autonome celle dont le Législateur est reconnu pour identique au peuple souverain : celui-ci doit donc pouvoir se donner son identité collective par un acte souverain où, en répondant à la question « Qui sommes-nous ? », il sache qu'il exprime son vouloir et non la volonté des Dieux ou l'ordre universel. La société autonome, à la fois démocratique et privée de référence transcendante, est celle où *c'est nous qui décidons*. On pourrait donc croire que cette société est aussi celle qui accomplit l'auto-position, l'institution de soi-même. Ailleurs, dans les sociétés hétéronomes, les gens acceptent que leur identité collective soit fixée par le passé, par l'histoire, par la tradition, par les Dieux, etc. L'identité collective hétéronome paraît donc être une détermination de soi par autre chose, sur le modèle de la réponse traditionnelle : Nous sommes les descendants toujours insuffisants des Ancêtres qui valaient mieux que nous. Seule l'identité collective autonome représente un cas de détermination de soi par soi. Un Nous d'abord « infini » ou indéterminé se pose soi-même en se donnant souverainement l'identité déterminée de son choix. On remarque que cette conception de l'auto-institution, qui n'est pas celle de Castoriadis, conduit tout droit à l'utopie. La société autonome est un but qui sera atteint à condition de passer hors de l'histoire : c'est le jour où elle ne se laissera plus déterminer par le passé, les traditions, les exemples et la fortune que la société se sera posée *elle-même*. On entend ici les échos de la prédication millénariste du XXe siècle : il va se passer quelque chose, on attend un *Ereignis* qui nous fera changer d'époque, nous allons passer la ligne. Ces attentes exaltées d'une coupure révolutionnaire, dans lesquelles on peut voir la forme occidentale du *Cargo cult* [7], puisent leur vocabulaire dans la philosophie, mais elles manquent la différence entre une morale, ou une politique, et une métaphysique.

Mais ce n'est pas sous la forme millénariste que Castoriadis entend l'auto-position. Il y voit le statut de toute institution humaine. Castoriadis parle donc, de façon conséquente, en métaphysicien. Toute institution humaine est une création, en ce sens qu'aucune n'est imitée d'un modèle naturel ou d'un archétype transcendant. Certaines sociétés s'instituent elles-mêmes dans l'hétéronomie : elles veulent avoir des dieux, des lois sacrées, un ordre inviolable des choses. La société occidentale tente péniblement de s'instituer dans l'autonomie.

---

7. Voir l'ouvrage de Kenelm Burridge, *New Heaven New Earth : A Study of Millenarian Activities,* Oxford, Blackwell, 1969.

« La société est autocréation. Son institution est auto-institution jusqu'ici auto-occultée. Cette auto-occultation est précisément la caractéristique fondamentale de l'hétéronomie des sociétés. (...) On y trouve, autrement dit, la représentation imposée aux individus que l'institution de la société ne dépend pas d'eux, qu'ils ne peuvent pas poser eux-mêmes leur loi — car c'est cela que veut dire *autonomie* —, mais que cette loi est déjà donnée par quelqu'un d'autre »[8].

L'ennui, c'est que nous avons maintenant à distinguer entre la société qui se veut asservie à un Législateur transcendant et celle qui se veut soumise à sa propre loi. Nous retrouvons bientôt les paradoxes de Rousseau et de l'idéalisme allemand. D'un côté, nous avons l'impossible opération d'une libre aliénation de sa liberté (l'esclave veut librement la servitude, la société hétéronome s'institue comme ayant été instituée par un autre qu'elle-même). De l'autre, nous avons l'acte difficilement concevable de s'aliéner à soi-même (chacun se donne totalement à la communauté, et la communauté donne à chacun d'être *également* de la communauté). Ces opérations antithétiques finissent par se ressembler : la *liberté qui accepte la subordination* s'oppose à la *subordination qui rend libre,* mais en même temps elle en est étrangement parente. Castoriadis veut maintenir une différence entre autonomie et institution de soi. L'autonomie, c'est l'institution de soi dans la lucidité, par opposition à l'hétéronomie, qui est l'institution de soi dans l'occultation. Pourtant, si l'on peut choisir de se donner pour loi la volonté divine plutôt que la volonté populaire, est-ce que l'institution de soi ne coïncide pas en fin de compte avec l'autonomie ? D'ailleurs, on rejoint ici l'emploi ordinaire du mot « autonomie » dans le vocabulaire politique. La revendication de l'autonomie, quand elle est émise par un groupe, exprime le désir de voir son identité collective respectée. Les *autonomistes* veulent parler leur langue nationale et non la langue étrangère, conserver leurs lois au lieu de s'en voir appliquer d'autres, avoir leur religion, leurs mœurs, etc. Castoriadis, parce qu'il raisonne ici en philosophe moderne, considère qu'un peuple est hétéronome s'il a fait alliance avec un Dieu ou s'il respecte la loi de ses Ancêtres. Mais ce n'est pas l'avis de ce peuple : ce Dieu est *son* Dieu, le Dieu de *ses* Ancêtres. Si Castoriadis voulait prêcher

---

8. C. Castoriadis, *Domaines de l'homme,* Paris, Seuil, 1986, p. 315.

l'autonomie telle qu'il la définit à un peuple hétéronome, ce dernier se plaindrait qu'on veuille lui imposer une identité collective étrangère à tout ce en quoi il se reconnaît. Le discours de Castoriadis lui ferait l'effet d'être jacobin. Or les Républicains français, devenus romantiques, ont proclamé avec enthousiasme le principe des nationalités lors du « printemps des peuples ». Ils y ont vu la plus pure expression du projet d'autonomie. En fin de compte, le nationalisme moderne se réclame du même droit à l'autonomie que le socialisme fédéraliste de Proudhon ou de Castoriadis. D'ailleurs, on constate que Heidegger n'a pas à chercher bien loin pour justifier les coups de force hitlériens : il en appelle à l'exigence inconditionnelle de l'autonomie. Quand le Führer veut que l'Allemagne quitte la Société des nations, Heidegger l'approuve de montrer « cette claire volonté qui veut la responsabilité de soi dans la prise en charge et la maîtrise du destin de notre peuple »[9]. Autant de signes que le concept d'autonomie est pris partout au sens métaphysique d'une « condition humaine », d'une « condamnation à la liberté », ce qui ne lui permet plus de caractériser certains choix ou certaines formes d'identité par opposition à d'autres.

Or, tout cela, Castoriadis le sait, puisqu'il dit que l'autonomie n'est pas la réponse ultime à la question politique. Nous voulons l'autonomie, écrit-il, mais pour faire quoi[10] ? Sans une réponse à cette question, on retombe dans un formalisme de type kantien. En soi, la démocratie n'est pas le dernier mot. Derrière le régime politique, il faut pour le soutenir un régime des *mœurs*.

> « Impossible de fabriquer une constitution qui interdise par exemple qu'un jour 67 % des individus prennent "démocratiquement" la décision de priver les autres 33 % de leurs droits. On pourra inscrire dans la Constitution des droits imprescriptibles des individus, on ne peut pas y inscrire une clause interdisant absolument la révision de la Constitution, et, si on l'y inscrivait, elle s'avérerait tôt ou tard impuissante. La seule limitation essentielle que peut connaître la démocratie, c'est l'autolimitation. Et celle-ci, à son tour, ne peut être que la tâche des individus éduqués dans, par et pour la démocratie »[11].

9. Dans l'appel déjà cité (voir chap. v, note 31), *le Débat*, n° 48, p. 184.
10. *Domaines de l'homme, op. cit.*, p. 416.
11. *Ibid.*, p. 418.

Ainsi, le dernier mot n'est pas : institution de soi par soi dans une *décision* solennelle prise par les citoyens réunis. Le dernier mot est plutôt « autolimitation », limitation de soi par soi dans la formation des mœurs. Autrement dit, la particularité des sociétés démocratiques modernes est d'avoir à trouver en elles-même la force de se limiter, au lieu de confier cette limitation à des institutions majestueuses, sous la forme d'un culte ou d'une piété, comme le faisaient les démocraties antiques, comme l'a fait de nouveau la démocratie américaine en pleine époque des Lumières. Nous rencontrons alors l'interrogation des sociologues, de Tocqueville à Louis Dumont. Castoriadis écrit en effet :

> « Comme l'avait bien vu Durkheim, la religion est "identique" à la société au départ et pendant très longtemps : en fait, pour la presque totalité des sociétés connues. Toute l'organisation du monde social est, presque partout, presque toujours, essentiellement "religieuse". La religion n'"accompagne" pas, n'"explique" pas, ne "justifie" pas l'organisation de la société : elle *est* cette organisation (...) C'est la religion qui organise, polarise et valorise le pertinent, qui le *hiérarchise,* dans un usage du terme qui retrouve ici son sens initial [12]. »

Il en résulte aussitôt un problème pour une culture que travaille le projet d'autonomie. Dans les sociétés qui participent de cette culture, on ne peut plus tenir la tâche de limitation du vouloir humain « infini » pour déjà remplie par les institutions fondées sur la *justice du monde.* En effet, l'*hybris* d'un vouloir qui ne se rapporte encore qu'à lui-même, et donc « infiniment », sans tolérer qu'on le bride ou le soumette, ne reçoit pas son châtiment d'une *religion identique à la société.* Pour parler comme Rousseau : la religion spirituelle et missionnaire de l'*homme* (ou christianisme) a supplanté la religion païenne et « inscrite dans un seul pays » du *citoyen* [13]. La tentation des philosophes est alors de confier à la *politique* la fonction des religions tradition-

---

12. *Ibid.*, p. 372.
13. Voir *Le contrat social,* IV, chap. VIII, « De la religion civile ». La réflexion de Castoriadis souffre ici de n'accorder aucune part à la prédication évangélique dans la formation du projet d'autonomie. Selon lui, ce projet, après être né sur l'*agora* de la cité grecque, décide de « renaître » après un intermède de barbarie. Marcel Gauchet, dans un travail qui entend rester (malheureusement, à mes yeux) une histoire *politique* de la religion, a essayé de situer le mouvement démocratique dans un schéma d'évolution religieuse de l'humanité (voir *Le désenchantement du monde,* Paris, Gallimard, 1985).

nelles, qui est de *hiérarchiser* le monde en vue d'y rendre possible l'action humaine.

Si Castoriadis persiste à présenter son projet d'autonomie comme une *politique,* c'est qu'il croit possible de revenir aujourd'hui au sens antique de ce mot. Il distingue en effet deux emplois du terme. *Le* politique, dit-il, est une catégorie spécialisée d'activités et d'affaires, celles qui concernent le pouvoir explicite dans la société et ses organes de gouvernement (qu'il y ait ou non un Etat, et quelle qu'en soit la forme s'il y en a un). Mais, dans le sens grec du mot, la politique concerne toute la société, l'institution d'ensemble de la société : non seulement le pouvoir, mais, comme on le voit dans la *Politeia* de Platon, la division du travail, le système de parenté, l'éducation, les mœurs, les jeux, la théologie, etc. Entendre le projet d'autonomie, qui concerne la société globale, dans le sens moderne et restreint du mot « politique » serait catastrophique : on reviendrait au *Tout est politique* des terroristes. Comme adjectif, *le* politique qualifie « ce qui a trait à des décisions explicites et, du moins en partie, conscientes ou réfléchies » [14]. Tout est politique veut dire maintenant que le Souverain, qu'il soit l'Etat absolutiste ou le comité révolutionnaire, va *décider de tout.* « Par un renversement étrange, le langage, l'économie, la religion, la représentation du monde, se trouvent relever de décisions politiques d'une manière que ne désavoueraient ni Charles Maurras ni Pol-Pot » [15]. En d'autres termes, le totalitarisme ne peut pas être tenu sans plus pour le contraire de la démocratie, puisqu'il en est l'adversaire et le fossoyeur. Le totalitarisme est aussi la possibilité la plus prochaine de la démocratie. Il est la démocratie sans l'auto-limitation, ou encore, si l'on préfère, il est le projet d'autonomie trahi et défiguré en projet d'une totale fondation de soi sur soi sous la forme d'un contrôle explicite, d'une décision explicite et réfléchie. Comme l'avait bien vu Castoriadis dès l'après-guerre, bien qu'il fût encore prisonnier à l'époque des dogmes marxistes, c'est le *même monde* qui porte en lui la possibilité de l'institution d'une société humaine, ce qu'il appelait alors le *socialisme,* et la possibilité que ce projet vire à la *barbarie,* une barbarie d'ailleurs inédite, inconnue des anciens paysans du Danube.

---

14. « Pouvoir, politique, autonomie », *Revue de métaphysique et de morale,* 1988, n° 1, p. 92.
15. *Ibid.*

Mais il est permis de penser que le sens moderne du mot
« politique » est maintenant trop bien établi pour qu'il soit
possible de retrouver l'acception antique. Or notre souci doit
être justement de contester la tendance à réduire le social (les
mœurs, la *politeia* antique) au politique moderne (le pouvoir et
la loi explicitement posée par un Législateur identifiable). Car
cette réduction est ce qui empêche les philosophes de penser le
projet d'autonomie sous ses deux aspects à la fois : l'aspect
conscient, facile à formuler en termes philosophiques, et l'aspect
proprement anthropologique, inaccessible à une reconstruction
rationnelle. Le côté invraisemblable des doctrines rationalistes
n'apparaît jamais si bien qu'au chapitre de la théorie politique.
Le penseur rationaliste croit pouvoir traiter de la vie sociale
comme si elle se déroulait tout entière dans l'arène politique :
il y voit des *stratégies,* des *rapports de force,* des conflits et des
alliances pour le *pouvoir.* Louis Dumont le montre dans le cas
de Hobbes : c'est d'un même mouvement que le philosophe
élimine la hiérarchie et constitue tous les rapports sociaux en
rapports de force [16]. Il élimine la hiérarchie de sa cosmologie
pour libérer l'individu. Or, comme Castoriadis le disait en citant
Durkheim, la hiérarchie n'était pas autre chose que la religion
identique à la société. Le philosophe moderne ne part pas d'un
ordre donné, mais d'un chaos au sein duquel des individus qui
viennent de se rencontrer doivent constituer un ordre, des
relations de subordination, de façon à rendre l'action possible
dans ce monde. Ainsi, la théorie sociale qu'enfante la philosophie moderne ne connaît que la politique définie par l'emploi
(tantôt légitime, tantôt non) de la violence, ou encore par les
catégories de l'ami et de l'ennemi.

> « Dans cette théorie le social est en somme réduit au politi-
> que. Pourquoi ? La raison en est très claire dans Hobbes ; si l'on
> part de l'individu, la vie sociale sera nécessairement considérée
> dans le langage de la conscience et de la force (ou du "pouvoir").
> D'abord on ne peut passer de l'individu au groupe que par un
> "contrat", c'est-à-dire une transaction consciente, un dessein
> artificiel. Ce sera ensuite affaire de "force", parce que la force
> est la seule chose que les individus puissent apporter dans cette
> transaction : l'opposé de la force serait hiérarchie, idée d'ordre
> social, principe d'autorité, et, cela, les individus contractants

---

16. *Essais sur l'individualisme,* Paris, Seuil, 1983, pp. 94-95.

vont avoir à le produire synthétiquement, de façon plus ou moins inconsciente, à partir d'une mise en commun de leurs forces ou volontés » [17].

Par conséquent, c'est ici qu'il y a un travail pour les philosophes d'aujourd'hui. Nous voudrions arriver à concevoir les institutions humaines dans un idiome qui ne soit plus celui de cette théorie sociale abstraite qu'est la théorie politique de la philosophie moderne : soit comme des conventions explicites passées entre sujets atomiques, soit comme des rapports de force résultant du moment historique. Pour cela, il nous faut combattre l'emprise sur nos esprits du mythe du Philosophe législateur.

Dans ses *Remarques sur le Rameau d'or,* Wittgenstein critique les explications étroitement rationalistes que donne Frazer des feux de joie écossais. L'erreur de Frazer est de placer, à l'origine de ces fêtes évoquant le sacrifice humain, des opinions et des croyances (dont la fausseté doit rendre compte de ce que la fête ne produise pas réellement les effets que les primitifs, selon Frazer, en attendent comme d'une technique). Wittgenstein repère aussitôt l'illusion de l'individu qui institue un peuple :

> « (...) De telles fêtes ne sont pas inventées par un seul homme, pour ainsi dire au petit bonheur, et ont besoin d'une base infiniment plus large pour se maintenir. Si je voulais inventer une fête, elle ne tarderait pas à disparaître ou bien serait modifiée de telle manière qu'elle corresponde à une tendance générale des gens » [18].

Pour instituer un peuple, le Philosophe devrait être capable d'inventer des fêtes. Mais pourquoi ne le peut-il pas ? Il comprend sans doute, comme tout le monde, qu'il y a des fêtes dans toute société, et peut éventuellement se demander s'il *doit* y en avoir. Est-ce que nous appellerions humaine une société dans laquelle le concept même de fête serait inconnu ? Nous pouvons donc philosopher sur le fait qu'il y a des fêtes, sur le fait qu'il doit y en avoir, mais en nous gardant de changer l'exigence qu'il y ait des fêtes, cette condition de possibilité de l'humanité d'une vie, en « fête transcendentale » (un glissement

---

17. *Ibid.,* p. 95.
18. *Remarques sur le Rameau d'or de Frazer,* tr. J. Lacoste, suivi de : J. Bouveresse, *L'animal cérémoniel,* L'Age d'homme, 1982, p. 32.

que les phénoménologues n'évitent pas toujours). Ce qui est bien impossible est de sortir d'une réflexion sur la fête en général pour en inventer une dans tout son détail et toute sa cérémonie. Wittgenstein reconnaît donc la sagesse de l'objection de Mauss contre les spéculations du Collège de Sociologie : ce n'est pas un philosophe qui pourra *rythmer la vie sociale*. En cela, il se sépare évidemment du rationalisme classique, ainsi que l'écrit Jacques Bouveresse :

> « L'idée que l'homme peut en quelque sorte, par la seule force de sa volonté libre et de sa raison, créer son langage et son mode de vie, dans un sens comparable à celui auquel il peut créer quelque chose dans le cadre d'un jeu de langage et d'une forme de vie acceptés, lui semble tout à fait naïve et absurde »[19].

On dira, non sans raison, que Wittgenstein est un conservateur. Mais peut-être sommes-nous mieux disposés à comprendre ses jugements, après des épisodes de modernisme grandiose tels que la collectivisation de l'agriculture russe, les révolutions culturelles chinoise et cambodgienne, aujourd'hui encore la « systématisation » du tyran roumain qui se propose de raser les vieux villages pour les remplacer par des centres bien policés d'exploitation agricole.

Dans un essai portant sur le thème de la convention dans la philosophie analytique, Hilary Putnam oppose Wittgenstein à Carnap[20]. Les positions générales de Carnap sont d'un modernisme classique : Carnap est pour le conventionnel, le construit, le planifié. Sa philosophie, dit Putnam, participe du même esprit culturel que le *Bauhaus* ou la *Cité radieuse* de Le Corbusier. Il appartient donc à l'aile optimiste et généreuse du modernisme. Quant à Wittgenstein, il est selon Putnam tout aussi moderne que Carnap, mais son modernisme est angoissé, tourmenté. Wittgenstein veut rétablir dans leurs droits légitimes le naturel, le développement organique, le traditionnel, les arrangements qui s'établissent d'eux-mêmes, spontanément, sans un ambitieux plan d'ensemble. Putnam donne une bonne formule de la différence philosophique entre les deux états d'esprit. Carnap croit d'un même élan à l'*esperanto,* à la planification socialiste et à la langue idéale de la science, qui est

---

19. *L'animal cérémoniel, op. cit.,* p. 68.
20. « Convention : A Theme in Philosophy », dans : Hilary Putnam, *Philosophical Papers,* Cambridge University Press, vol. III, 1983, p. 170.

comme une Cité radieuse de l'esprit. C'est pourquoi lui et le Cercle de Vienne (et son disciple Quine, ajoute Putnam) ne cessent d'élaborer de gigantesques programmes ou des manifestes provocateurs : bientôt, la connaissance humaine sera réduite à la physique, bientôt la physique sera traduite en observations purement factuelles reliées entre elles par des relations purement logiques (bientôt, ajoute Quine, la philosophie et la logique seront « naturalisées »). On retrouve ici l'impatience futuriste. Pour l'avant-garde du progrès, se donner le programme des prouesses à venir est déjà accomplir la moitié de la tâche. Wittgenstein condamne cette fébrilité : le Cercle de Vienne ne devrait pas proclamer le dépassement de la métaphysique, ni annoncer tout ce qu'il va faire, mais *montrer* par des *travaux* ce qu'il est en mesure de faire dès aujourd'hui[21]. Wittgenstein est tout aussi moderne que Carnap, mais il montre plus de pénétration philosophique, et c'est pourquoi il ne ressent aucun enthousiasme pour d'imposantes constructions dont le caractère chimérique lui est trop rapidement sensible.

Philosophiquement, comment cette *mesure* propre à Wittgenstein peut-elle se dire ? La modernité, ici, est de reconnaître que les règles que suivent les hommes dans leur pensée (et donc aussi dans leur existence) ne sont pas l'expression de la nature des choses. En l'accordant lui aussi, Wittgenstein donne satisfaction autant qu'on le doit à la *raison critique* des Modernes. Mais il faut faire un autre pas, post-moderne si l'on veut, pour surmonter l'illusion propre aux Modernes, qui est de croire que l'*autonomie des règles* (relativement à la réalité) doive se comprendre dans les termes d'une *autonomie individuelle,* donc en se laissant guider par les puissantes images du Législateur et de la première Convention.

Les philosophes, explique Wittgenstein, ont de la difficulté à rendre compte des *vérités de raison* (les principes, les axiomes, les règles nécessaires, les lois universelles). L'empiriste ne voit pas comment on pourrait *extraire* ces vérités d'une expérience. Il a raison : on ne peut pas les obtenir par « abstraction ». Il essaie donc de les réduire, soit à de pures tautologies sans contenu, soit à des hypothèses très générales. Le rationaliste ne voit pas comment on pourrait traiter le principe de contradic-

---

21. Voir la lettre de Wittgenstein à Waismann citée dans : *Wittgenstein und der Wiener Kreis,* éd. F. Waismann, Francfort, Suhrkamp, 1984, p. 18.

tion ou les théorèmes mathématiques de tautologies, ni d'ailleurs d'hypothèses. Il a raison : la thèse empiriste est des plus difficiles à soutenir ; ceux qui la soutiennent ne le font pas parce qu'ils la trouvent directement convaincante, mais parce qu'ils pensent qu'il doit bien en être ainsi si le dogme épistémologique de l'empirisme doit être maintenu. Le rationaliste essaie donc de présenter les vérités de raison comme des connaissances *a priori*. S'il est phénoménologue, il en fait des propositions éidétiques fondées sur une intuition des essences. S'il est kantien, il en fait des propositions traitant de l'objet transcendental et dérivées par un raisonnement sur les conditions de possibilité de la conscience d'un objet.

Wittgenstein entend montrer qu'on exige l'impossible de ces vérités de raison. Elles doivent être *nécessaires,* donc valides quoi qu'il arrive, en toute hypothèse. En même temps, elles doivent être *instructives,* posséder une valeur cognitive, nous annoncer ce qui va arriver. On a donc l'impression que les vérités de raison sont des propositions prodigieuses : elles sont en effet comme des tautologies qui arriveraient à dire quelque chose (sans prendre pourtant le risque de se faire démentir par l'événement), et elles sont comme des hypothèses qui arriveraient à se rendre tautologiques (sans pour autant se vider de leur valeur d'instruction quant à ce qu'il y a dans le monde). Mais ces deux qualités sont incompatibles. Soit le principe de causalité. Si *Tout ce qui arrive a une cause* est une proposition portant sur les objets, il faut que ce soit en effet une hypothèse : mais alors, pour qu'on prenne un risque, l'hypothèse ne doit pas être donnée pour nécessaire, sinon on ne pourrait pas concevoir ce qui devrait se passer pour que l'hypothèse soit contredite par l'expérience. Mais, si le principe est nécessaire, cela veut dire que l'expérience n'a plus la parole : le cas où se produit un miracle, soit un événement disproportionné au regard de tout ce qui pourrait prétendre l'avoir provoqué, ce cas est bien entendu fréquent ; pourtant, il ne nous conduit nullement à rejeter le principe (puisque nous l'avons posé comme nécessaire), mais à confesser notre ignorance présente (il y a une cause, mais nous ne sommes pas capables de la trouver).

La solution de Wittgenstein, on le sait, est de faire ressortir l'aspect normatif des célèbres vérités de raison. Elles sont comme des règles grammaticales, qu'on ne doit pas confondre avec des phrases qui nous donnent des informations sur le monde. Dans un cours, Wittgenstein donne un exemple éclairant[22]. Nous avons reçu deux cageots de pommes, le premier contenant vingt-cinq pommes et le second seize. Le contenu de ces cageots est réuni dans un seul grand panier. Personne ensuite n'a touché à rien. Voici que, en comptant à nouveau les pommes du grand panier, nous n'en trouvons que quarante. Il manque une pomme. Mais la question philosophique est ici : Pourquoi manquerait-il une pomme ? En réalité, dit Wittgenstein, nous avons ici une « décision » à prendre (décision qui n'a nullement à être explicitée, délibérée, réfléchie). Nous devons modifier notre physique ou notre arithmétique. Le plus probable est que nous voulons conserver notre arithmétique. Nous devons le *décider,* mais ce n'est pas sans raisons que nous préférerons normalement sauver l'arithmétique (et la logique). Nous posons donc que « 25 + 16 = 41 » bien que ce ne soit pas (empiriquement) vrai. L'addition ci-dessus est devenue une *règle* qui fixe, avec d'autres formules du même genre, le sens même de l'activité d'additionner. Si le résultat d'une opération portant sur 25 (pommes) et 16 (pommes) n'était pas 41 (pommes), il ne s'agirait plus de notre opération d'addition. Nous concluons donc qu'il y a bel et bien quarante et une pommes, quoique nous n'en trouvions, physiquement, que quarante. Nous disons qu'une pomme a été « égarée », a « disparu » sans qu'on sache comment. Nous modifions par conséquent notre physique en introduisant la possibilité d'une disparation occulte des pommes, ou, si l'on préfère, la possibilité que certains processus physiques aient lieu à notre insu. Quant à l'arithmétique, elle a maintenant le statut d'une règle qui fixe le résultat quoi qu'il arrive, qui par conséquent ne vise nullement à décrire un état du monde, mais plutôt à déterminer la façon dont nous *voulons* organiser notre pensée du monde. L'autre solution, plus difficile à imaginer, serait de sauver notre physique et de modifier notre arithmétique : par exemple, nous pourrions avoir l'ancienne opération « + » quand il s'agit de compter des moutons, des petits pains, etc., et une nouvelle opération, notée par exemple « * », qui sera utilisée pour le dénombrement des pommes, avec « 25 * 16 = 40 ». La leçon de cet exemple est qu'il nous appartient de fixer pour notre usage un *critère* ou une

---

22. *Wittgenstein's Lectures, Cambridge, 1932-1935,* éd. A. Ambrose, The University of Chicago Press, 1982, p. 160.

règle d'expression et de pensée. Qu'est-ce qui permet de dire qu'il manque une pomme dans le panier ? Un critère possible est l'observation : nous avons *vu* une pomme quitter le panier. Un autre critère possible est la règle arithmétique : « 25 + 16 = 41 » dit combien il y a de pommes quand on a ajouté les effectifs 25 et 16. Cette règle arithmétique n'est pas une description de la réalité. Elle ne vise nullement à dire combien il y a en fait de pommes dans le panier (pour le savoir, il faut y aller voir). Elle dit comment transformer une expression de notre langage (« 25 + 16 ») en une autre expression équivalente (« 41 »). C'est seulement après nous être dotés de ce système de représentation que nous pouvons considérer des faits, tels que, par exemple, une erreur dans le décompte, une disparition inexpliquée, etc. La règle ne peut être ni confirmée ni démentie par l'observation de la réalité. Elle ne prédit pas, avec une probabilité égale à 1/1, que le panier contiendra 41 pommes. Elle prescrit une forme de description de la réalité sous le rapport de la quantité. Et elle a cette fonction normative parce que nous la lui donnons : nous faisons de cette règle syntaxique le critère de ce qu'il y a si rien n'a été ajouté ou retranché.

Mais, ici, le langage de la décision nous rapproche dangereusement des eaux territoriales de la philosophie législatrice. Il semble maintenant que c'est nous qui décidons de ce qu'il y a dans le monde. Notre raison introduit l'ordre de sa convenance dans une réalité par elle-même amorphe. Nous faisons apparaître ou disparaître les choses par des oukases qui n'ont d'autre justification que de satisfaire notre mode de représentation. Puisque les règles du raisonnement et du calcul n'ont pas à être en accord avec une réalité, elles sont *arbitraires.* Ou, du moins, elles sont *conventionnelles,* donc artificielles. Il n'est donc pas interdit d'imaginer un congrès de métaphysiciens (ou d'anti-métaphysiciens positivistes) réunis pour améliorer notre langage, nos formes de description. Ou, si nous ne croyons pas à cette possibilité pour la philosophie d'intervenir dans nos jeux de langage, nous devons confesser que c'est la fin de la philosophie. Notre langage est arbitraire, et pourtant ce n'est pas nous qui décidons. Nous subissons ce langage autonome comme une fatalité. Au terme de cette ligne de pensée, nous découvrons que nous sommes devenus *post-structuralistes.*

La thèse selon laquelle nous posons nous-mêmes les règles

que nous suivons dans notre pratique langagière provoque immanquablement une réaction de stupeur, surtout si, comme le fait Wittgenstein, on inclut dans la pratique langagière, outre l'émission des signes formant des phrases, les activités qui ont une relation interne avec le langage, comme l'activité de compter, celle de mesurer, de classer, de ranger, de se servir de cartes, de diagrammes, etc. Certains sont inquiets : s'il n'y a pas un fondement à ces activités, nous sommes livrés au relativisme et à la sophistique. D'autres croient retrouver justement les thèmes sophistiques : tout est convention, artifice, apparence. Nous sommes alors en compagnie de ces auteurs qu'on réunit vaguement sous l'étiquette du post-structuralisme, et qui ont en commun d'être obsédés par une métaphysique fantastique qui leur paraît tout à la fois solidement démontrée et complément incroyable. Les premiers existentialistes, au milieu du XIXe siècle, étaient persuadés qu'une raison livrée à elle-même devait produire quelque chose comme le Système hégélien : ne pouvant croire à ce Système, ils choisissaient d'opposer l'Existence au Concept. Ce qui fait de quelqu'un un post-structuraliste est la fascination pour ce courant de pensée français qui a succombé au « mirage linguistique »[23]. Le structuralisme français a été le plus récent avatar du projet d'une science unifiée de toute chose, d'une *wissenschaftliche Weltauffassung*. Le structuralisme, lui aussi, part à la recherche de la « structure logique du monde ». Sa démarche obéit toutefois à d'autres autorités. Un structuraliste ignore généralement le renouveau de la logique dû à Frege : il tire ses modèles de la linguistique, dont il espère dégager, sous le nom de *sémiologie* ou de *sémiotique,* une théorie générale des lois de toute représentation (ou de toute communication d'un sens par le moyen d'un langage). Le structuralisme, lui aussi, cède à la tentation du programme grandiose. On montrera un jour, dit-il, que les structures de la représentation sont celles de l'esprit, que les structures de l'esprit sont celles du cerveau, et qu'enfin les structures du cerveau, qui est un système matériel, sont celles de la matière. Le post-structuralisme renonce à ce dogmatisme extravagant. Mais sa réaction est si forte qu'elle le porte à professer le dogmatisme inverse. Sa thèse est que le réel n'est pas *ordre,* mais *chaos.* Qu'en savons-nous ? Nous l'entrevoyons dans de

---

23. Voir : Thomas Pavel, *Le mirage linguistique,* Paris, Minuit, 1988.

trop rares moments d'illumination ou de « rire ». La phrase la plus souvent citée du livre de Foucault intitulé *Les mots et les choses* est en fait une phrase de Borges citée par Foucault. L'apologue de l'encyclopédie chinoise (fictive) dont la classification nous paraît absurde a un effet de *koan,* de paradoxe libérateur. Ce n'est pas la classification de cette encyclopédie particulière qui est absurde, c'est le projet de classification lui-même. Toute mise en ordre est arbitraire, en ce sens qu'elle ne nous fait pas quitter le langage ou la représentation. Hors du langage, il n'y a rien à classer. Non qu'il n'y ait pas des *choses* en dehors du langage, mais ces choses, si elles sont classées, le sont dans le langage ou dans le texte. Ici aussi, on soutient la thèse de l'autonomie de la grammaire (il vaudrait mieux dire, d'ailleurs : l'autonomie du langage, car les structuralistes français ont une conception purement lexicale du langage, ne se posent pas le problème de la construction et voient dans la phrase une unité sémiotique de rang supérieur au simple mot). Mais cette thèse signifie que nos concepts et nos classifications valent pour le monde qui est notre représentation, pas pour le monde qui est la chose en soi. La réalité est fluide, continue, chaotique. Mais nous ne pouvons nous empêcher de nous la représenter comme stable, bien découpée en genres naturels, ordonnée et régulière dans ses opérations. Nous sommes contraints de nous représenter un monde ordonné, parce que c'est ainsi qu'un système de représentation doit « fonctionner ». Bref, le réel est impossible à représenter. S'il nous préoccupe, c'est *in absentia,* par ses « traces ». S'il nous affecte, ce sera dans des états de choc, lorsqu'une situation exclue par le système occidental de la représentation se produit pourtant et nous livre, stupéfaits, interdits, à l'épiphanie de l'Autre.

Il est permis de penser que le philosophe post-structuraliste s'est laissé prendre au piège d'une image. Le structuralisme représente parfois la diversité des types d'humanité par l'image d'un grand damier combinatoire : chaque case figure une possibilité humaine, chaque culture occupe une case ; il faut être quelque part sur le damier pour être humain, mais il est interdit d'occuper plus d'une case ; en *choisissant* sa case, une culture se décide pour certaines possibilités de vie humaine et en exclut d'autres. L'intention de cette image est de faire ressortir la commune humanité d'êtres qui vivent pourtant dans les conditions les plus variées. Par cette image d'un *choix* en faveur de certaines règles culturelles plutôt que d'autres, l'anthropologue se place idéalement en deçà de toutes les cultures, de façon à expliquer qu'il y ait une communication possible d'une culture à l'autre. Nous sommes sur cette case, mais nous pouvons comprendre les gens qui sont sur une autre case parce que nous *aurions pu* choisir leurs règles plutôt que les nôtres. C'est donc une façon de dire que la différence entre les types humains n'est pas naturelle : elle ne s'explique ni par le climat ni par les gènes. Le petit Huron élevé à Paris est un citadin. Or cette image du choix doit rester une image. De faux problèmes surgissent dès qu'on veut en faire une sorte d'hypothèse sur un mécanisme caché qui présiderait à la formation des cultures. Aussitôt se profile le personnage du Législateur philosophe. Puisqu'il faut choisir une culture, on doit trouver des raisons de préférer une culture à une autre. Ces raisons doivent être données de façon transcendentale, avant de rejoindre une case. Elles ne doivent surtout pas être empruntées à la rhétorique de notre case culturelle. Le Législateur, placé ainsi dans le vide, n'a aucune raison de choisir une culture plutôt qu'une autre. Il ne saurait en effet appliquer des critères alors que son problème est justement de se décider pour les critères d'une culture plutôt que d'une autre. La décision du Législateur est donc arbitraire. Aucune différence culturelle, aucune table des valeurs n'ont de fondement. Tout est donc arbitraire.

Wittgenstein nous permet d'échapper aux paradoxes un peu lassants du post-structuralisme. Nos jeux de langage pourraient en effet être différents, en ce sens qu'ils ne nous sont pas imposés par une réalité qu'ils chercheraient à refléter. Cela ne veut pas dire qu'il y ait à leur origine un réel processus de décision, qu'on se représenterait alors comme rationnel ou irrationnel. Bouveresse commente ainsi ce point :

> « Nos jeux de langage et nos formes de vie ne sont pas "fondés" et ne peuvent pas l'être (une justification ou une raison présupposent un jeu de langage dans lequel des justifications et des raisons sont données et acceptées). Par conséquent, ils ne peuvent pas non plus être considérés comme arbitraires, si l'on entend par *arbitraire* ce qui devrait et, dans d'autres circonstances, pourrait avoir une justification, mais qui, dans la situation présente, n'en a pas »[24].

24. *L'animal cérémoniel, op. cit.*, pp. 68-69.

Dire que les jeux de langage sont sans fondement est donc trompeur si cela doit être compris comme un appel à leur trouver le fondement qui leur manquerait, ou, faute d'en trouver, à les remplacer par d'autres jeux plus rationnels. Les jeux de langage ne *manquent* pas d'un fondement quand ils n'en ont pas. Ils échappent à l'alternative du justifié et de l'injustifié, si la justification qu'on réclame doit être tirée de la nature des choses (celle de l'univers ou celle de la raison).

Dans un manuscrit que citent Baker et Hacker, Wittgenstein écrit :

> « Les règles grammaticales sont arbitraires, cela veut dire : leur fin n'est pas par exemple de correspondre à l'essence de la négation ou à celle de la couleur, mais leur fin est la fin de la négation et du concept de couleur. De même, la fin des règles du jeu d'échecs n'est pas de correspondre à l'essence des échecs, mais c'est la fin du jeu d'échecs.
>
> Ou encore : les règles des échecs ne sont pas tenues de correspondre à l'essence de la pièce du roi d'échecs, car elles lui donnent cette essence, tandis que les règles de la cuisine et de la rôtisserie doivent correspondre à la nature de la viande. C'est ici bien sûr une remarque grammaticale » [25].

Ce texte, en indiquant la différence entre les règles d'un jeu et celles de la cuisson d'une viande, permet de dissiper la confusion conceptuelle entretenue par des thèmes tels que ceux de l'arbitraire du signe linguistique ou du caractère conventionnel de toutes les différences. Les règles du jeu d'échecs créent la différence du *roi* et de la *reine* dans un jeu d'échecs. L'essence du *roi* est constituée par la grammaire, puisqu'un roi est ce que les règles fixent qu'il sera. Mais les règles de la cuisine ne créent pas la différence du *cru* et du *cuit*. Quant à la mythologie, elle *utilise* cette différence qui ne lui doit rien. Dans le cas du jeu d'échecs, il n'y a pas un but de ce jeu, extérieur au jeu, dont on pourrait dériver l'ensemble des règles. On peut choisir d'exprimer cela en disant que les règles sont « sans fondement ». Dans le cas de la cuisine, il en va autrement : nous ne *décidons* pas que la viande de bœuf aura un temps de cuisson et un goût différents de ceux de la viande de porc, et, si nous sommes libres de faire cuire notre rôti au four ou à la cocotte, nous ne

---

25. G.P. Baker et P.M.S. Hacker, *Wittgenstein : Grammar, Rules and Necessity*, Oxford, Blackwell, 1985, p. 331.

décidons pas lequel des deux procédés lui conservera mieux son saignant. Les règles de la cuisine sont donc commandées par une réalité extérieure à elle : la nature de la viande, ainsi que nos propres demandes gastronomiques.

L'autonomie de la grammaire veut dire que les règles grammaticales de la pensée n'ont pas à se justifier par un but extérieur, comme si la finalité de la pensée était de donner des images de la réalité, et qu'on ait à choisir entre des procédés de pensée comme entre des modèles d'appareil photographique. Le langage n'est pas un moyen qu'on utiliserait pour une fin qui pourrait être conçue et fixée indépendamment du langage lui-même. Par conséquent, si quelqu'un n'emploie pas le mot « non » comme nous le faisons, selon la règle d'une contradiction entre « oui » et « non », nous ne dirons pas qu'il se trompe, qu'il utilise le mot dans un sens qui serait interdit par l'essence de la négation. Mais nous ne dirons pas non plus qu'il a *découvert* une signification plus profonde de la négation ou qu'il en a compris l'essence dialectique. Nous dirons certainement qu'il se trompe s'il croit que le nouvel usage qu'il vient d'inventer correspond à notre concept usuel de négation.

> « Il n'y a pas lieu de discuter pour savoir si ces règles ou d'autres sont les règles correctes pour les mots "ne... pas" (autrement dit, si elles sont conformes à leur sens). Car les mots, sans ces règles, n'ont encore aucun sens, et, si nous changeons les règles, ils ont maintenant un autre sens (ou aucun), ce qui fait que nous pourrions aussi bien dans ce cas changer les mots »[26].

Chez Wittgenstein, la grammaire est aussi autonome que peut l'être le « signifiant » des post-structuralistes, mais il n'en résulte aucune des conséquences abyssales que ces derniers ont complaisamment tirées de la machine théorique sémiotique. Bouveresse résume ainsi le sens de l'*invention de la nécessité* dans la pensée de Wittgenstein :

> « Nous inventons nos concepts et nous créons notre grammaire (sous certaines contraintes et dans certaines limites). Nous n'inventons évidemment pas la réalité qu'elle nous permet de décrire et nous ne créons pas la vérité qu'elle nous permet de reconnaître »[27].

---

26. Wittgenstein, *Philosophische Grammatik,* Oxford, Blackwell, 1969, p. 184.
27. *La force de la règle,* Paris, Minuit, 1987, p. 66.

De façon générale, nos institutions, nos langues, nos systèmes de classification, nos techniques de calcul sont « sans fondement », puisque c'est nous qui en décidons et non la réalité. Mais il convient de prévenir les malentendus attachés à l'emploi du mot « décision ». Ce terme inquiète (légitimement) ceux qui lui trouvent un arrière-goût d'arbitraire. C'est pourquoi les rationalistes contruisent des épistémologies dans lesquelles les règles à suivre sont « fondées en raison ». De leur côté, les empiristes tentent de changer ces règles en conventions linguistiques ou en tautologies inoffensives. Ces épistémologues rivaux ont pourtant un point commun : ils ne reconnaissent pas assez la fonction *normative* des principes de la raison. Ils voudraient constater une incapacité physique ou une impuissance mentale là où il s'agit, avant toute constatation, de fixer des impossibilités de principe en vue de donner tel ou tel sens à une expression. Si le *oui* et le *non* s'opposent, c'est parce que nous excluons la réponse *oui et non,* ce n'est pas parce que nous constaterions que la réalité n'accepte pas les deux réponses à la fois. Car la réalité ne peut accepter ou refuser nos réponses avant que la différence entre le sens et le non-sens ait été introduite par nous.

La métaphore de la décision ne doit pas être prise pour autre chose qu'une façon d'attirer l'attention sur la différence qu'il y a entre la façon dont nous justifions des vérités (factuelles) et la façon dont nous justifions des décisions (conceptuelles). Rom Harré explique bien ce point dans une page où il n'hésite pas à utiliser, contre l'empirisme implicite de la plupart des épistémologues contemporains, la distinction de l'essence et de l'accident, mais sans supposer la moindre *intuition* des essences :

> « La science a affaire à des essences et non à des accidents. Les principes taxonomiques expriment la façon dont on en est venu à décider (et ici nous adoptons la métaphore de la "décision") que cette distinction entre l'essence et l'accident sera faite dans cette science particulière. Ce sont des "décisions", pas des découvertes. Elles réclament des raisons pour leur justification, pas des éléments de preuve (*evidence*) »[28].

Cette dernière distinction entre la justification des décisions et celle des découvertes nous renvoie à la différence, méconnue par

---

28. *The Principles of Scientific Thinking,* The University of Chicago Press, 1970, p. 209.

beaucoup de philosophes, entre la rationalité pratique et la rationalité théorique. On ne peut pas prouver qu'une décision est juste. Si l'on pouvait apporter des preuves pour justifier une décision, il ne s'agirait pas de ce que nous voulons appeler une *décision,* mais de ce que nous voulons appeler une *découverte.* Si nous ne reconnaissons qu'une rationalité, celle de la découverte (empirique), nous devrons dire que les décisions sont irrationnelles, puisqu'elles manquent de tout fondement du type utilisé dans la recherche des faits. Pourtant, on peut raisonner sur les décisions, développer toute la rhétorique, donner les motifs qui rendent une décision préférable à une autre. La différence entre la décision et la découverte relève donc elle-même de la grammaire philosophique. Les découvertes s'appuient sur des témoignages, des indices, des marques, des observations régulières, des analogies, des inférences. Quand nous ne savons pas sur quoi elles s'appuient, nous parlons d'*intuitions.* Les décisions s'appuient sur une « base », dirait Wittgenstein, constituée par les besoins, les désirs, les goûts, les raisons de convenance, d'utilité, d'opportunité. La notion de besoin doit être entendue ici au sens le plus large : ces besoins qui appellent des décisions peuvent être matériels, spirituels, théoriques, collectifs, personnels, etc. Quand nous ne savons pas sur quoi s'appuie une décision, nous disons qu'elle est *arbitraire.*

Ces éclaircissements sur le sujet de l'autonomie des règles suggèrent un moyen de ne pas se laisser enfermer dans l'impasse du « problème des valeurs ». Derrière ces « valeurs » il y a les *catégories de la culture,* telles que la science objective de la nature, la politique du bien public, l'esthétique des formes sensibles, l'éthique de la conscience, etc. Parler ici de « catégories » n'est pas inapproprié. On vise en effet des types d'attribution, de grandes questions à poser au sujet d'une chose. Toutefois, la chose n'est pas à penser dans son « être » (Qu'est-elle ? Où est-elle ? Quels rapports a-t-elle avec d'autres ?, etc.). Elle doit être maintenant pensée dans sa « valeur », ou *désirabilité.*

Sur toute chose qu'on doit apprécier pour adopter une ligne de conduite à son égard, il y a plusieurs points de vue possibles. Nous pouvons figurer ces points de vue par les avis divers des conseillers d'un décideur, que j'appellerai le Libre Arbitre. Chaque conseiller a voix au chapitre sous un et un seul point de vue, qu'il est chargé, comme on dit, de *faire valoir* : le coût et les bénéfices escomptés de l'opération, les avantages et les dangers politiques, les agréments variés et les nuisances prévisibles, les obstacles juridiques, les objections de conscience. La délibération permet sans doute d'amender le projet, mais il n'y a pas de raison de s'attendre à ce que tous les points de vue puissent être réconciliés. A la fin de la délibération, le Libre Arbitre rend son jugement : *oui* ou *non* à la chose envisagée.

Parmi tous les conseillers, il en est un dont le rôle est particulier : son avis doit être obligatoirement pris en compte, sans restriction ni correction, par tous les autres membres du chapitre. Ce conseiller, en effet, explique la *physique* de l'opération dont les autres ne considèrent que l'opportunité à divers points de vue. L'homme de science dit comment l'opération devra se passer en toute hypothèse, si l'on prend la décision de l'exécuter. Que l'œuvre projetée soit bonne ou mauvaise sous tel ou tel rapport, elle aura de toute façon cette identité physique. Le « point de vue » scientifique est donc spécial : il est « objectif », puisqu'il donne la seule description de la chose que nous devions accepter inconditionnellement, contre laquelle nous n'avons rien à faire valoir. En ce sens, il n'est pas un vrai « point de vue ». Mais, du même coup, cet étrange point de vue est « neutre » : il ne nous donne par lui-même aucune raison de conseiller ou de déconseiller la chose. Autrement dit, la science telle que nous voulons la concevoir est universelle (elle donne des *faits*), mais abstraite (elle ne donne pas des *valeurs*).

La pluralité des valeurs permet de prolonger la délibération. Elle aboutit à élargir les attributions du Libre Arbitre, puisqu'il peut toujours décider d'entendre encore un autre conseiller avant de donner raison à ceux qui ont déjà parlé de façon apparemment convaincante. Chaque conseiller est prié de s'en tenir à son ministère. Il lui est demandé de dire ce qu'il faut faire, ce que lui-même ferait, s'il n'y avait qu'un seul ordre de considération susceptible de nous fournir des motifs d'action. Le conseiller jouit de l'*autonomie*. Il peut développer dans toutes leurs conséquences une seule espèce de raisons : c'est parce qu'il sait qu'il n'est pas responsable de la décision finale. Quant au Libre Arbitre, il décide de la chose : et, en décidant de la chose, il décide aussi de la force respective des raisons diverses qui ont pu être présentées dans ce cas.

Le mystère de la fonction du Libre Arbitre est donc ce *saut* d'une délibération, qui n'a absolument aucune raison interne de se conclure (seulement des *motifs,* tels que l'urgence, la fatigue, etc.), à une décision qui clôt sans retour la discussion. Du point de vue logique, ce saut peut être représenté de la façon suivante : tant qu'on délibère, on considère la chose débattue sous tel ou tel aspect (*under a description*). Elle est, par exemple, *politiquement* avantageuse, mais *économiquement* ruineuse. On est donc sous le régime de l'adverbe. Mais tant qu'on maintient les adverbes, on impose une restriction à toutes les conclusions. Dire que le projet est mauvais du point de vue économique, c'est admettre qu'il est d'autres considérations, éventuellement plus importantes. Le moment de la décision est celui où le Libre Arbitre doit faire sauter les adverbes. Si le projet en suspens est adopté, c'est qu'il est bon sans plus. Si ce projet est rejeté, c'est qu'il est mauvais. La décision ne peut pas retenir les mille nuances de la délibération. Elle ne peut pas adopter le projet dans ce qu'il a de bon et le rejeter dans ce qu'il a de mauvais (comme ces scrupuleux qui, au référendum, introduisent dans leur enveloppe plusieurs bulletins *oui* et plusieurs bulletins *non* pour mieux faire connaître le détail de leur opinion : oui à tel aspect, non à tel autre).

Le « problème des valeurs » surgit chaque fois qu'on veut souligner que le passage de la délibération à la décision comporte un acte de souveraineté, qu'aucun calcul rationnel, aucune mathématique divine, aucun principe de raison suffisante, ne pourront éliminer. En même temps qu'un Libre Arbitre décide de se lancer, ou non, dans une entreprise particulière, il décide (à chaque fois, et pour cette occasion particulière) d'un ordre de préséance entre ses conseillers.

Le moment de la délibération présente donc une raison *divisée* en législations. Certains philosophes tiennent à insister sur ce que Kant appelle les « abîmes » de la raison [29]. Dans ces philosophies, dont l'inspiration pourrait être qualifiée de « lévitique », on insiste sur l'irréductibilité d'une catégorie à une autre. On ne peut pas rejoindre l'autre catégorie en s'enfonçant dans la sienne. Pour passer à l'autre intérêt de la raison, il faut sauter. Kant dit en effet que, pour faire ressortir la différence entre le « sensible » et le « supra-sensible » (nous dirions : entre les « faits » et les « valeurs »), il faut *faire comme si* il s'agissait

---

29. *Critique de la faculté de juger,* Introduction, trad. citée, p. 25.

de « mondes différents »[30]. Toute la difficulté philosophique est qu'il s'agit, nous le savons bien, du même monde. « Le concept de liberté doit rendre réel dans le monde sensible la fin imposée par ses lois »[31].

Ainsi voit-on la philosophie s'empresser d'organiser des « passages » au-dessus des frontières qui venaient d'être marquées de façon si solennelle. Une autre philosophie se dessine alors, dont l'inspiration pourrait être dite, cette fois, « hellénistique ». Elle trouve partout, entre les contraires, des « processions » et des « médiations » intelligibles. Chez les auteurs modernes, la philosophie de l'esprit absolu de Hegel est sans doute l'exemple le plus typique de ce refus de *sauter* : chez lui, l'art est déjà la religion, tandis que la religion, qui conserve bien entendu un « moment » artistique, représente déjà le contenu du concept philosophique.

A la différence des catégories de l'être, qui sont une division ultime puisque le concept d'*étant* n'est pas générique, celles de l'action humaine ne peuvent pas être une division ultime. S'il y a un sens à délibérer avant d'agir, il faut bien que les catégories selon lesquelles se place successivement le jugement de valeur ne soient pas séparées. On a seulement fait *comme si* elles l'étaient pour les besoins de la délibération[32].

C'est ici que la distinction faite plus haut, dans l'esprit de la philosophie de Wittgenstein, peut nous aider. Les penseurs, quoi qu'ils aient pu dire, n'ont pas *découvert* au XVIIe siècle que les valeurs existaient dans le jugement du sujet et non dans le monde. L'esprit humain n'est pas sorti soudain d'une longue confusion entre la chose considérée en elle-même (figure et mouvement, éventuellement force) et la chose considérée par rapport à nos besoins et à nos fantaisies (couleurs, saveurs, agréments, etc.). Mais les penseurs ont *décidé* (pour des raisons qui sont de l'ordre du motif et non de la preuve) que désormais serait tenue pour réelle la chose prise en dehors de tout contexte

---

30. *Ibid.*

31. *Ibid.*

32. Dans mes deux phrases précédentes, le « ne peuvent pas » et le « il faut bien » s'adressent aux philosophes, non à la nature des choses. On n'y verra pas un « argument transcendantal », mais seulement le rappel d'un fait trivial, incontesté : la rationalité pratique appartient à une *délibération* (qui correspond, pour le philosophe, au moment de la « division de la raison »), laquelle vise à culminer dans une *décision* de passer ou non aux actes (et cette décision introduit à nouveau l'« unité de la raison »).

humain, sans égards pour l'homme nécessiteux, laborieux, libidineux, scrupuleux et facétieux. Cette décision, les épopées qui récitent l'évolution de l'esprit humain nous la donnent pour une découverte. Mais comment aurait-on pu découvrir qu'il n'y avait pas de valeurs dans le monde, seulement des « choses » ou des « faits » ? Comment pourrait-on le constater ? Où faudrait-il regarder ? D'ailleurs, à tout instant, nous pouvons revenir au mode de représentation pré-moderne, et voici que les valeurs fourmillent à nouveau dans le monde : n'est-ce pas un fait qu'il y a des climats plus rudes et d'autres plus doux, des champignons comestibles et des champignons vénéneux, des raisonnements valides et des raisonnements invalides, etc. ? L'erreur évolutionniste, en anthropologie et en histoire des idées, est de chercher à présenter comme un *progrès* dans la distinction des catégories de pensée ce qui en est plutôt l'*institution*. Institution que je suis prêt à qualifier d'« imaginaire », avec Castoriadis, à condition de retirer à ce terme toute connotation de profondeur nocturne, et à ne lui conserver que celle d'ingéniosité ou de force inventive. Les divisions de la raison n'étaient pas déjà là, présentes dans une structure transcendentale de la rationalité, attendant d'être mises à découvert par le regard perçant du philosophe. Il est vrai que ces divisions étaient déjà anticipées localement, sous forme de ces *distinguo* qu'on essaie de faire dans les discussions. Mais ces discussions, qui étaient possibles, il a fallu avoir l'*idée* (ou la force d'imagination) de les généraliser et de les fixer *comme si* elles correspondaient à des abîmes ouvert dans l'essence même de la raison.

Car on appliquera ce qui vient d'être dit de la différence entre le fait (ce degré zéro de la valeur) et la valeur aux différences entre les valeurs. Les penseurs n'ont pas découvert, au XVIe siècle, qu'on avait toujours confondu jusqu'ici l'essence du religieux et l'essence du politique, quand en réalité ces essences étaient distinctes. Tout ce qu'ils ont découvert, c'est qu'on pouvait faire cette distinction. C'est pourquoi, dans une période troublée par les guerres de religion, ils ont décidé que cette différence devait être faite. Les historiens s'occupent des circonstances dans lesquelles il est devenu usuel de distinguer entre la vérité de la science et celle de la révélation, entre le Prince et la conscience, entre le bien politique et le bien universel, entre l'Eglise et l'Etat, entre la morale et la fiction, etc. Mon sujet toutefois n'est pas cette histoire, mais plutôt la difficulté philosophique qu'on rencontre quand on s'aperçoit que la division des catégories pratiques est justifiée (qu'elle a, dirait Wittgenstein, une « base »), mais ne saurait être fondée sur quelque chose d'ultime.

Chaque fois qu'une catégorie pratique est distinguée, elle reçoit une autonomie qui l'émancipe à l'égard des fins plus élevées qu'elle. Le mot juste est ici celui d'*absolutisme,* car il s'agit bien en effet de détacher une fin humaine (un motif possible d'action, parmi d'autres) d'un ordre préalablement donné de toutes les fins. Le Prince absolutiste n'est soumis à aucune loi, il est *legibus solutus,* sa volonté n'est bridée par aucune Loi supérieure des choses, ni soumise à une quelconque justice du monde. Mais c'est chaque catégorie concevable qui est la définition d'un absolu : à côté de l'absolu politique (« politique d'abord ! » = le bien national d'abord), il y a la possibilité d'un absolu moral (« vérité et justice, quoi qu'il en coûte »), d'un *absolu littéraire* [33], etc. Ainsi, la constitution d'un point de vue particulier en « valeur » devrait être comprise comme un rétrécissement, mais provoque immanquablement la tentation d'un élargissement démesuré. La politique doit veiller aux affaires publiques, à ce bien politique que les factions perdent de vue dans leurs conflits : c'est dire qu'il ne doit pas se mêler de la conscience des sujets politiques. Pourtant, cette constitution d'un *absolu restreint* est si peu naturelle qu'elle demande des siècles pour s'établir tant bien que mal. L'absolu restreint est sans cesse confondu avec l'absolu tout court.

C'est pourquoi le besoin se fait sentir, dans une culture qui est organisée autour de quelque chose comme le Libre Arbitre généralisé, d'insister sur ce qu'on appelle l'*autolimitation* de la volonté souveraine (Castoriadis) ou la *hiérarchie* des fins (Dumont). Par ces termes, on désigne un résultat qui ne saurait être attendu d'un décret ou d'un acte politique : seule une *éducation* à la restriction de l'absolu peut disposer en ce sens cette « base » qui fournit les motifs des institutions. Quant au contenu de la restriction, il se réduit à ceci : quiconque parle au nom d'une catégorie instituée et trouve sa fierté dans le fait d'être un *pur* quelque chose (un pur savant, un pur artiste, etc.) doit savoir qu'il ne parle pas au nom de l'ensemble des catégo-

---

33. Voir l'ouvrage de Ph. Lacoue-Labarthe et J.-L. Nancy qui porte ce titre (cité plus haut, chap. III, note 10).

ries. La position du philosophe est plus délicate. On attend du philosophe qu'il conserve parmi nous le point de vue de l'ensemble : on lui demande de marquer les limites de chacun des points de vue particuliers. Mais pourquoi est-il si difficile de le faire sans verser dans la grandiloquence ? C'est qu'il y a deux façons de le faire : on peut se placer *en aval* ou *en amont* de cette division de la « raison moderne » en catégories pratiques absolutisées dans leur ordre (mais seulement dans leur ordre).

Si l'on se place en aval du partage des eaux de la raison en bras séparés, on cherchera à limiter les prétentions de chaque point de vue en constituant une *synthèse*. Pourtant, cette synthèse doit commencer quelque part. Le philosophe devra s'installer dans l'une des catégories pratiques et travailler à en élargir l'horizon. Or cette façon de faire est condamnée d'avance, puisque la pertinence de chaque spécialité lui vient de sa restriction.

Teilhard de Chardin avait expliqué qu'il ne faisait pas de la métaphysique, genre scolastique et désuet, mais de l'*hyperphysique*. Une hyperphysique serait une discipline prodigieuse : elle serait scientifique comme notre physique (laquelle, dans notre sens, vise à offrir une description d'un monde dans lequel il n'y a pas de « phénomène humain »), mais elle serait en même temps une vue d'ensemble (et donnerait la description d'un monde au centre duquel il y a le « phénomène humain »).

Le châtiment de toutes les tentatives spéculatives dont le point d'application est en aval de la division moderne du rationnel est qu'elles partageront le sort de l'hyperphysique. Elles seront affligées d'un mal qui ruine à la fois le style et la pensée : la grandiloquence [34]. Elles donneront dans la superscience, ou *gnose,* des scientistes, à moins qu'elles ne préfèrent l'*hyperpolitique* des penseurs terroristes ou l'*hyperesthétique* des dilettantes.

Comment faire pour se placer plutôt *en amont* de la division ? C'est sans doute le sens du retour contemporain à Kant. On cherche chez lui le moyen d'accepter la division de la raison par des raisons tirées d'une unité plus originelle et non pas d'une unité à obtenir synthétiquement. Pourtant, le nom de Kant devient peut-être un peu légendaire. Car le « Kant » dont nous

---

34. Voir les remarques de C. Rosset sur le style grandiloquent comme marque d'une indigence de la pensée dans *Le réel,* Paris, Minuit, 1977.

pourrions, je crois, nous autoriser serait un Kant dissocié des principaux articles du kantisme. Ce serait Kant sans le principe transcendental de causalité : car son principe conjugue les inconvénients des deux conceptions rivales, l'empiriste (qui réduit la causalité à une conjonction régulière dans notre observation) et la rationaliste (qui change la causalité naturelle en liaison logique : *si... alors*). Ce serait Kant sans l'impératif catégorique (qui n'en dit pas assez s'il vient authentiquement de la raison pure, mais qui ne peut pas venir d'elle s'il en dit assez pour nous guider).

Une référence à Kant serait donc, de ma part, égarante ou vide. C'est pourquoi je me servirai plutôt d'une remarque de Baudelaire pour éclaircir la logique de nos jugements de valeur. Dans son article sur Flaubert, Baudelaire reproche aux critiques qui ont condamné *Madame Bovary* d'avoir « confondu les genres ». Ces critiques se plaignent de ne pas trouver dans le roman un personnage qui puisse être tenu pour représenter la morale publique et la conscience de l'auteur. Mais, leur rétorque Baudelaire, la place de ce personnage n'est pas dans les limites du roman. L'œuvre doit obéir à ses lois propres. En demandant que le romancier moralise, les critiques *absolutisent* la littérature de la mauvaise façon : ils changent l'écrivain en directeur de conscience. Pourtant l'écrivain ne saurait être un directeur de conscience s'il a accepté le régime moderne de l'art. Et, si nous devions vivre en théocratie, pourquoi irions-nous chercher les directeurs de nos consciences chez les poètes et les romanciers ? Baudelaire montre bien comment l'absolu littéraire n'est concevable que dans une *limite*. Le pur artiste s'interdit de franchir cette limite, dont il tire toute sa liberté, à condition d'en supposer une plus radicale chez son lecteur.

> « Où est-il, le personnage proverbial et légendaire, chargé d'expliquer la fable et de diriger l'intelligence du lecteur ? En d'autres termes, où est le réquisitoire ?
>
> Absurdité ! Eternelle et incorrigible confusion des fonctions et des genres ! — Une véritable œuvre d'art n'a pas besoin de réquisitoire. La logique de l'œuvre suffit à toutes les postulations de la morale, et c'est au lecteur à tirer les conclusions de la conclusion » [35].

---

35. « Gustave Flaubert », *op. cit.*, p. 451.

Le philosophe est tenté d'essayer de généraliser ce dernier point. Partout où un « absolu » a été institué, une logique en résulte qui impose une conclusion dans les limites de l'œuvre. Le serviteur de cet absolu sait qu'il peut s'abandonner entièrement à la logique de l'œuvre, justement parce qu'elle est partielle. Les postulations de la morale ne demandent pas qu'un réquisitoire soit inclus dans l'œuvre. Elles réclament au contraire qu'il en soit exclu. Car c'est au lecteur qu'il revient de tirer les *conclusions de la conclusion*.

INDEX DES AUTEURS CITÉS

ADORNO, T.W., 86, 136n.
ALTHUSSER, L., 80.
ANSCOMBE, G.E.M., 34.
ANTOINE, C., 142.
ARIES, Ph., 26.
ARISTOTE, 14, 19n., 24, 110, 117-122, 146.
ARNAULD, A., 99, 102.
ARON, Raymond, 46, 80-85, 141.

BAKER, G.B., 172.
BALZAC, H. de, 54.
BATAILLE, G., 69, 85-87, 91-93, 94.
BAUDELAIRE, Ch., 7, 51, 54-56, 58, 60, 62-67, 92, 99, 182.
BECKER, C., 21.
BENDA, J., 43.
BENJAMIN, W., 55.
BLAKE, W., 92.
BLANCHOT, M., 84.
BOUVERESSE, J., 100n., 164, 171, 173.
BORGES, J., 170.
BRUNSCHVICG L., 84.

CAILLOIS, Roger, 85, 93-95.
CANETTI, E., 74n.
CARNAP, R., 164-165.
CASTORIADIS, C., 33, 153-162, 179, 180.
CAVAILLÈS, J., 81.
Cercle de Vienne, 150, 165.
CICÉRON, 24.
CLAUDEL, P., 115.
COMTE, A., 53.
CONDORCET, marquis de, 53.

DELACROIX, E., 65.
DELEUZE, G., 25n., 70.

DERRIDA, J., 69, 80, 90-91, 102.
DOSTOIEVSKI, F., 135.
DREYFUS, A., 84.
DREYFUS, H., 25n.
DUMONT, L., 53n., 72n., 76n., 104-105, 135, 147, 152n., 160, 162-163, 180.
DURKHEIM, E., 86, 91, 92, 160, 162.

Ecole de Francfort, 15, 136.
ERNOUT, A., 103n.

FAVRET-SAADA, J., 142-145.
FERRY, L., 80n., 119.
FICHTE, J.G., 145, 155.
FLAUBERT, G., 182.
FOUCAULT, M., 14-15, 20, 23-27, 40-43, 69, 80, 170.
FRAZER, J., 143, 163.
FREGE, G., 121, 169.
FREUD, S., 74n.

GAUCHET, M., 160n.
GEACH, P., 89n.
GIDE, A., 55n.
GRACQ, J., 114-115.
GRAPPIN, P., 105n.

HABERMAS, J., 32, 51-59, 61, 67, 69-71, 86.
HACKER, P.M.S., 172.
HARRÉ, R., 174.
HEGEL, G.W.F., 9, 11, 12, 15-16, 20-22, 24, 26, 29-31, 51-54, 57, 69-70, 87-88, 178.
HEIDEGGER, M., 26, 52, 70, 81, 90n., 95, 97-128, 159.
HERDER, J.G., 105.

HITLER, A., 78, 81, 83, 84, 128.
HOBBES, T., 162.
HODERLIN, F., 57.
HOLLIER, D., 87n.
HORKHEIMER, M., 136n.
HUME, D., 150.
HUSSERL, E., 104.

JAUSS, H.R., 54n.
JOLLES, A., 133n.
JONAS, F., 74n.

KANT, I., 15, 19n., 29-40, 47-49, 55, 62, 88, 104, 118, 138, 177-178, 181-182.
KIERKEGAARD, S., 70.
KLOSSOWSKI, P., 70.
KOJEVE, A., 12, 53, 70, 86-87.
KOSELLECK, R., 44-46, 153.
KUHN, T., 20, 138.

LACAN, J., 80.
LACOUE-LABARTHE, Ph., 180n.
LAUTMAN, A., 81.
LAUTRÉAMONT, 70.
LE BON, G., 74.
LE CORBUSIER, 164.
LEIBNIZ, G.W., 85-94, 99, 101-103, 105-108, 110-114.
LEIRIS, M., 85, 94.
LEVINAS, E., 84.
LUKACS, G., 86.
LYOTARD, J.-F., 32n., 35, 70n., 136-139.

MACINTYRE, A., 130n.
MALEBRANCHE, N., 21.
MARX, K., 29, 30, 70, 104.
MAUSS, M., 92, 95, 129, 164.
MONNEROT, J., 83n.
MONTESQUIEU, baron de, 63.
MOZART, W.A., 112-113.
MUSIL, R., 73.

NANCY, J.-L., 180n.
NAPOLÉON Ier, 14, 65, 66n.
NAPOLÉON III, 72.
NIETZSCHE, F., 15, 30, 57, 58, 69-70, 73, 109-112.

OFFENBACH, J., 58.

OLLIVIER, E., 72.
ORTIGUES, E., 144n.

PACHET, P., 55n.
PAULHAN, J., 17.
PAVEL, T., 169n.
PIOBETTA, S., 29.
PLATON, 21, 24, 126, 161.
POE, E., 62.
PROCLUS, 21.
PROUDHON, P.J., 159.
PROUST, M., 10, 11, 12.
PUTNAM, H., 164-165.

QUINE, W.V., 165.

RABINOW, P., 25n.
RENAUT, A., 80n.
RIVAUD, A., 81.
RORTY, R., 23-24.
ROUSSEAU, J.-J., 154, 156, 158, 160.
ROSSET, C., 58, 111, 115, 181n.
ROUSTANG, F., 82n.
RUSSELL, B., 117.

SADE, marquis de, 43, 70.
SARTRE, J.-P., 80, 115, 156.
SCHELER, M., 104.
SCHELLING, F.W.J., 57.
SCHOPENHAUER, A., 110.
SPINOZA, B., 24.
SOREL, G., 74n.
STALINE, J., 37, 83.
STAROBINSKI, J., 59-67.
STENDHAL, 63, 64-65, 138.

TEILHARD DE CHARDIN, P., 181.
THOMAS, F., 103n.
TUGENDHAT, E., 116n.
TOCQUEVILLE, A. de, 160.

VEYNE, P., 145n.

WAGNER, R., 58n.
WEBER, M., 15, 47n., 51-52, 129, 139-142.
WEIL, E., 32, 70, 71, 86, 87-91, 92n.
WITTGENSTEIN, L., 117, 144, 149, 163-168, 171-175, 178, 180.
WOLFF, C., 100-101, 112.

TABLE DES MATIÈRES

Avant-propos 7

Chapitre 1ᵉʳ : LE PHILOSOPHE À LA PAGE 9

Lire le journal, 9 — Foucault hégélien, 14 — Proverbes
et maximes philosophiques, 17 — Hegel : l'intellectuel
et le métaphysicien, 20 — Rorty : la philosophie
comme rhétorique, 23 — L'ontologie du présent, 24.

Chapitre 2 : PHILOSOPHIE DE LA RÉVOLUTION FRANÇAISE   29

Retour à Kant, 29 — Philosophie du jugement politique, 31 — Esthétique de l'événement, 34 — L'enthousiasme et le sublime, 37 — La politique des intellectuels, 40 — L'« hypocrisie critique », 44 — Kant
politique, 47 — Philosophie de l'événement, 48.

Chapitre 3 : LE BEAU MODERNE 51

Habermas et le discours de la modernité, 51 — La
modernité selon Baudelaire, 53 — La Querelle des
Anciens et des Modernes, 56 — Le mythe romantique, 57 — De la fable au mythe, 59 — L'art pour
l'art, 62 — Stendhal et l'idéal moderne, 63 — Le beau
dans les mœurs, 65.

Chapitre 4 : LA CRISE FRANÇAISE DES LUMIÈRES 69

L'hégélianisme noir des années 1930-1960, 69 — Le nationalisme et la guerre mondiale, 72 — L'ère des masses et des meneurs, 73 — Le désarroi français en 1938, 76 — Raymond Aron et la révolution totalitaire, 80 — L'affaire Dreyfus : morale et politique, 84 — Le Collège de sociologie, 85 — La violence selon Eric Weil, 87 — Déconstruction du « sens », 90 — Romantisme de Georges Bataille, 91 — Roger Caillois dandy, 93.

Chapitre 5 : LA MÉTAPHYSIQUE DE L'ÉPOQUE 97

La pensée épochale, 97 — Herméneutique du principe de raison, 101 — De l'« intensification » en philosophie, 104 — Le meilleur, 107 — La piété et la question de l'existence, 108 — La musique du monde, 111 — La métaphysique et la question de l'être, 115 — Grammaire philosophique, 117 — La grande échelle de l'être, 124 — La critique idéologique, 126 — Heidegger et l'événement, 127.

Chapitre 6 : LA DÉMYSTIFICATION DU MONDE 129

La « rationalité occidentale », 129 — Le post-moderne selon Louis Dumont, 133 — Le post-moderne selon Jean-François Lyotard, 136 — Le « désenchantement », 140 — Les Lumières au village, 147.

Chapitre 7 : LE PROJET D'AUTONOMIE 149

Raison et tradition, 149 — Le « problème des valeurs », 151 — L'autonomie selon Castoriadis, 153 — Le paradoxe de l'institution de soi, 155 — L'éducation démocratique, 159 — Wittgenstein contre l'espéranto, 163 — L'autonomie des règles, 165 — Le post-structuralisme, 168 — L'invention conceptuelle, 173 — Les catégories de la culture, 175 — Abîmes et médiations de la raison, 177 — Logique des jugements de valeur, 182.

Index des auteurs cités 185

« CRITIQUE »

Georges Bataille, LA PART MAUDITE, précédé de LA NOTION DE DÉPENSE.

Jean-Marie Benoist, TYRANNIE DU LOGOS.

Jacques Bouveresse, LA PAROLE MALHEUREUSE. *De l'alchimie linguistique à la grammaire philosophique.* — WITTGENSTEIN : LA RIME ET LA RAISON. *Science, éthique et esthétique.* — LE MYTHE DE L'INTÉRIORITÉ. *Expérience, signification et langage privé chez Wittgenstein.* — LE PHILOSOPHE CHEZ LES AUTOPHAGES. — RATIONALITÉ ET CYNISME. — LA FORCE DE LA RÈGLE. — LE PAYS DES POSSIBLES. *Wittgenstein, les mathématiques et le monde réel.*

Michel Butor, RÉPERTOIRE I. — RÉPERTOIRE II. — RÉPERTOIRE III. — RÉPERTOIRE IV. — RÉPERTOIRE V et dernier.

Pierre Charpentrat, LE MIRAGE BAROQUE.

Pierre Clastres, LA SOCIÉTÉ CONTRE L'ETAT. *Recherches d'anthropologie politique.*

Hubert Damisch, RUPTURES/CULTURES.

Gilles Deleuze, LOGIQUE DU SENS. — L'IMAGE-MOUVEMENT. — L'IMAGE-TEMPS. — FOUCAULT. — LE PLI. *Leibniz et le Baroque.*

Gilles Deleuze, Félix Guattari, L'ANTI-ŒDIPE. — KAFKA. *Pour une littérature mineure.* — MILLE PLATEAUX.

Jacques Derrida, DE LA GRAMMATOLOGIE. — MARGES DE LA PHILOSOPHIE. — POSITIONS.

Jacques Derrida, Vincent Descombes, Garbis Kortian, Philippe Lacoue-Labarthe, Jean-François Lyotard, Jean-Luc Nancy, LA FACULTÉ DE JUGER.

Vincent Descombes, L'INCONSCIENT MALGRÉ LUI. — LE MÊME ET L'AUTRE. *Quarante-cinq ans de philosophie française (1933-1978).* — GRAMMAIRE D'OBJETS EN TOUS GENRES. — PROUST, *Philosophie du roman.*

Georges Didi-Huberman, LA PEINTURE INCARNÉE, *suivi de « Le chef-d'œuvre inconnu »* par Honoré de Balzac.

Jacques Donzelot, LA POLICE DES FAMILLES.

Thierry de Duve, NOMINALISME PICTURAL. *Marcel Duchamp, la peinture et la modernité.* — AU NOM DE L'ART. *Pour une archéologie de la modernité.*

Serge Fauchereau, LECTURE DE LA POÉSIE AMÉRICAINE.

André Green, UN ŒIL EN TROP. *Le complexe d'Œdipe dans la tragédie.* — NARCISSISME DE VIE, NARCISSISME DE MORT.

André Green, Jean-Luc Donnet, L'ENFANT DE ÇA. *Psychanalyse d'un entretien : la psychose blanche.*

Luce Irigaray, SPECULUM. *De l'autre femme.* — CE SEXE QUI N'EN EST PAS UN. — AMANTE MARINE. *De Friedrich Nietzsche.* — L'OUBLI DE L'AIR. *Chez Martin Heidegger.* ETHIQUE DE LA DIFFÉRENCE SEXUELLE. — PARLER N'EST JAMAIS NEUTRE. — SEXES ET PARENTÉS.

Garbis Kortian, MÉTACRITIQUE.

Jacques Leenhardt, LECTURE POLITIQUE DU ROMAN « LA JALOUSIE » D'ALAIN ROBBE-GRILLET.

Pierre Legendre, JOUIR DU POUVOIR. *Traité de la bureaucratie patriote.*

Emmanuel Levinas, QUATRE LECTURES TALMUDIQUES. — DU SACRÉ AU SAINT. *Cinq nouvelles lectures talmudiques.* — L'AU-DELA DU VERSET. *Lectures et discours talmudiques.* — A L'HEURE DES NATIONS.

Jean-François Lyotard, ÉCONOMIE LIBIDINALE. — LA CONDITION POSTMODERNE. *Rapport sur le savoir.* — LE DIFFÉREND.

Louis Marin, UTOPIQUES : JEUX D'ESPACES. — LE RÉCIT EST UN PIÈGE.

Francine Markovits, MARX DANS LE JARDIN D'ÉPICURE.

Michèle Montrelay, L'OMBRE ET LE NOM. *Sur la féminité.*

Thomas Pavel, LE MIRAGE LINGUISTIQUE. *Essai sur la modernisation intellectuelle.*

Michel Picard, La lecture comme jeu.

Michel Pierssens, La tour de babil. *La fiction du signe.*

Claude Reichler, La diabolie. *La séduction, la renardie, l'écriture.* — L'age libertin.

Alain Rey, Les spectres de la bande. *Essai sur la B. D.*

Alain Robbe-Grillet, Pour un nouveau roman.

Charles Rosen, Schœnberg.

Clément Rosset, Le réel. *Traité de l'idiotie.* — L'objet singulier. — La force majeure. — Le philosophe et les sortilèges.— Le principe de cruauté.

François Roustang, Un destin si funeste. — ... Elle ne le lache plus. — Le bal masqué de giacomo casanova.

Michel Serres, Hermes I. : La communication. — Hermes II : L'interférence. Hermes III : La traduction. — Hermes IV : La distribution. — Hermes V : Le passage du nord-ouest. — Jouvences. *Sur Jules Verne.* — La naissance de la physique dans le texte de lucrèce. *Fleuves et turbulences.*

Michel Thévoz, L'académisme et ses fantasmes.

Jean-Louis Tristani, Le stade du respir.

Gianni Vattimo, Les aventures de la différence.

Paul Zumthor, Parler du moyen age.